L'AUTRE

Pierre Bottero

Le Souffle de la Hyène

RAGEOT

Et puisqu'il est question
d'amour et de famille…
À Josette et Luc, mes parents,
À Brigitte et Christiane, mes sœurs,
À Bernard, mon frère,
Mon affection. Toujours.

Couverture de Didier Garguilo

ISBN 978-2-7002-3673-6
ISSN 1772-5771

Loi n° 49-956 du 16-07-1949 sur les publications destinées à la jeunesse.

Au fil des siècles, l'attention des Familles s'était relâchée. L'Autre n'était plus au cœur de leurs préoccupations, et nombreux étaient ceux qui l'avaient oublié.

Complètement oublié.

C'est sans doute pour cette raison que le professeur Ernesto Sappati put obtenir les autorisations nécessaires à son projet. Après avoir atterri à Léticia et remonté le fleuve Amazone en bateau pendant deux jours, son expédition quitta le parc national colombien d'Amacayacu pour passer au Brésil et s'enfoncer dans une des régions les plus sauvages du monde.

Ernesto Sappati cherchait une cité maya à l'existence controversée.

Il trouva la huitième porte.

Le cube.

La machette maniée d'une main experte trancha une dernière liane, achevant de dégager l'entrée au sommet de la pyramide.

João Bousca, le guide brésilien qui avait œuvré sans relâche depuis que l'expédition était parvenue sur le site, était un colosse de presque deux mètres, doté d'une impressionnante musculature et ignorant jusqu'à l'idée de fatigue. Il s'écarta avec nonchalance pour laisser le passage au professeur et à son assistant.

Insensible au vacarme des oiseaux et des singes comme à la majesté des itahubas et des caricaris qui le surplombaient, Ernesto Sappati essuya d'une main impatiente la sueur ruisselant sur son visage et s'avança. De petite taille, les gestes vifs et précis, il émanait de lui un fascinant mélange d'intelligence et de rouerie qui incitait à la prudence autant qu'à l'admiration.

– Enfin ! s'exclama-t-il. Voilà pour ceux qui prétendent que la civilisation maya ne s'est jamais étendue si loin au sud, et voilà pour ces êtres bornés qui ont tenté par tous les moyens de me mettre des bâtons dans les roues.

Emiliano, son jeune assistant, l'interrompit pour désigner du doigt les bas-reliefs sculptés dans la pierre sombre de l'édifice. Ils disparaissaient à moitié sous l'exubérante végétation équatoriale, mais leur partie visible avait suffi à l'alerter.

– Ces motifs ne ressemblent pas à ceux qui ornent Uxmal ou Tikal, remarqua-t-il. On dirait…

– Billevesées ! le coupa Ernesto Sappati. Cette pyramide a été construite par les Mayas. Son architecture le prouve, cet escalier que nous venons de gravir, son orientation…

– Justement, il n'y a qu'un escalier au lieu des quatre traditionnels. Je n'ai en outre compté que sept paliers et non neuf.

– Qu'importe le nombre de paliers ! s'emporta le professeur. Éclairez plutôt ce couloir et suivez-moi.

Avec un haussement d'épaules, Emiliano dirigea le faisceau de la puissante torche électrique qu'il avait tirée de son sac vers l'intérieur de la pyramide. Une nuée de chauves-souris géantes jaillit soudain de l'obscurité, frôlant leurs têtes avant de plonger sur les arbres. Le professeur gratifia son assistant qui avait sursauté d'un regard dédaigneux et s'engagea dans le couloir.

Emiliano et João Bousca le suivirent.

Sous leurs pieds, la poussière et un entrelacs de racines rampantes remplacèrent très vite les mousses et les fougères, tenues à distance par l'absence de lumière. Les murs de pierre étaient gravés de motifs géométriques complexes qu'Emiliano aurait aimé étudier de plus près, mais Ernesto Sappati en avait décidé autrement. Courant presque, il gagna la salle qui s'ouvrait à l'extrémité du couloir. Y trouver la statue d'un dieu maya, peut-être Quetzalcóatl en personne, lui offrirait enfin la célébrité et la reconnaissance de ses pairs. Cette reconnaissance qu'il avait toujours recherchée. Cette reconnaissance qui l'avait toujours fui. Cette…

Il se figea.

La salle était peut-être un temple, mais elle ne contenait aucune effigie, aucun autel, aucune sculpture en rapport avec les Mayas ou une autre civilisation précolombienne. Elle n'était pourtant pas vide. Un cube de pierre d'un peu plus d'un mètre d'arête, effrayant de noirceur, occupait son centre.

Flottant entre le sol et le plafond.

Pendant une minute qui parut durer une éternité, Ernesto Sappati et Emiliano restèrent figés par la stupeur et l'incrédulité, puis ils se reprirent. L'un se baissa pour observer le dessous du cube tandis que l'autre en effectuait lentement le tour.

Rien.

Aucune attache, aucun lien ne retenait le bloc de pierre. Il flottait comme une baudruche alors que sa structure clamait une masse de plusieurs tonnes.

– É magia, é a obra do diabo ! gémit João.

– Tais-toi donc ! l'invectiva Ernesto Sappati. Il y a forcément une explication rationnelle à ce phénomène et je vais la trouver.

– É a obra do diabo, répéta le colosse en reculant d'un pas.

Sans se soucier davantage du guide, le professeur s'approcha du cube. Du granit, ce devait être du granit, ou, peut-être, une variété de marbre grumeleux. Cela n'expliquait toutefois pas pourquoi ce diable de rocher tenait en l'air… Avec une infime hésitation, Ernesto Sappati posa sa main à plat sur la pierre. Il la retira aussitôt. Il faisait une chaleur étouffante dans la jungle. Quarante degrés au moins, qui en paraissaient dix de plus tant l'atmosphère était chargée d'humidité.

Or le cube était glacé.

– Va chercher les autres, ordonna le professeur à João. Qu'ils montent le matériel.

Une heure plus tard, la salle était brillamment éclairée par quatre projecteurs placés à chaque coin, Ernesto Sappati avait pris une cinquantaine de photos du cube, sous tous ses angles, avec toutes les résolutions que lui offrait son objectif… et il n'avait toujours pas la moindre idée de ce qui causait sa lévitation.

Les six porteurs brésiliens et João se tenaient à l'entrée de la salle, psalmodiant une litanie de prières et d'incantations. Ils étaient blêmes et le mot diabo *– diable en brésilien – revenait sans cesse. Emiliano, après avoir* *contemplé le cube avec une moue dubitative, s'était lancé dans l'étude d'une fresque gravée sur un des murs.*

– C'est curieux, finit-il par dire. Les personnages représentés sur cette fresque sont rassemblés en sept groupes. Croyez-vous qu'il s'agisse des sept tribus nahuas de la légende ?

Ernesto Sappati haussa les épaules.

– La légende à laquelle vous faites allusion est aztèque et non maya. Elle n'a donc rien à voir avec ce qui nous intéresse.

Il avait parlé sur le ton méprisant qu'il avait coutume d'employer lorsqu'il s'adressait à son assistant, ce qui ne l'empêcha pas de s'approcher pour observer la fresque.

– Chaque groupe possède des particularités physiques remarquables, constata-t-il en passant les doigts sur la pierre. Comme s'il s'agissait de familles plutôt que de tribus… et là !

Il désignait, à l'endroit où semblaient converger les sept familles, une forme sculptée avec précision.

Un cube.

Un cube creux, ouvert selon une ligne de partage courbe.

Ernesto Sappati et Emiliano comprirent au même moment. Ils se précipitèrent sur le bloc de granit noir et entreprirent de l'épousseter avec soin. Ils eurent toutefois du mal à distinguer l'infime sillon qui serpentait sur quatre de ses faces. Sans la fresque, ils ne l'auraient jamais découvert.

– João ! Un marteau et un burin !

– Attendez, intervint Emiliano. Ne croyez-vous pas que nous devrions prendre le temps de réfléchir ? Ne serait-il pas préférable d'étudier cet objet dans un laboratoire ?

– Et comment comptez-vous le déplacer ? railla le professeur. La masse volumique du granit est supérieure à deux mille sept cents kilos par mètre cube. Sans parler de ce phénomène de lévitation que nous n'avons aucun moyen de contrôler.

– Nous pourrions demander de l'aide.

– Pour que des confrères peu scrupuleux s'arrogent le fruit de mon travail ? Il n'en est pas question ! João, un marteau et un burin !

Ernesto Sappati devinait que la pierre sombre était plus dure que du granit. Bien plus dure. La bataille pour l'entamer serait longue et difficile. Il cala le burin dans la rainure, leva son marteau et l'abattit de toutes ses forces.

Avec un craquement sec, le cube se fendit.

Ses deux moitiés s'écrasèrent au sol dans un vacarme assourdissant.

Une volute de fumée noire, si dense qu'elle en paraissait huileuse, se répandit à l'intérieur de la salle.

À cet instant précis, les lampes des quatre projecteurs explosèrent, plongeant la scène dans une totale obscurité.

Des hurlements s'élevèrent.

D'abord de terreur.

Puis de douleur.

Terribles.

Ils cessèrent très vite.

Après trois mille six cents ans de captivité, l'Autre était de nouveau libre.

Le Souffle de la Hyène

1

Natan feinta sur le côté, fit passer le ballon dans son dos, le reprit au ras du parquet avant de pivoter pour bloquer de l'épaule le joueur qui le marquait depuis le début du match.

Le type, un grand costaud qui lui rendait au moins trente centimètres, tenta de franchir le barrage en force. Natan se baissa, l'esquiva sans peine et se dégagea. Il se déplaçait avec une rapidité sidérante, le ballon collant à sa main comme s'il était un prolongement de son corps.

Natan partit en dribble vers l'aile droite puis repiqua vers le centre. Il avait déjà inscrit douze paniers pour son équipe, mais cela ne suffisait pas. Les autres avaient encore un point d'avance et le match s'achevait dans une poignée de secondes. Trois défenseurs se précipitèrent, lui interdisant de pénétrer dans la raquette. Natan chercha ses partenaires des yeux. Aucun n'était en position de shoot. Il s'y attendait.

Arthur, le seul qui, selon Natan, jouait de manière potable et aurait pu le soutenir dans une contre-attaque éclair, était marqué de près. Il tenta de décrocher mais, malgré la passe parfaite de Natan, la pression défensive était trop forte et il ne réussit pas à se saisir du ballon qui fut intercepté par un joueur adverse.

Natan comprit que la partie était perdue. L'équipe de Stanislas allait se contenter de faire circuler le ballon, jouant la montre, jusqu'à ce que l'arbitre siffle la fin du temps réglementaire. Si au moins ses équipiers s'étaient mobilisés, il y aurait eu un espoir, mais ce n'était pas le cas et il ne pouvait pas gagner le match à lui tout seul ! Il redescendit en défense afin d'éviter que le score se creuse, et c'est à cet instant qu'il la vit.

Maud.

Assise dans les gradins !

Il étouffa un juron.

Depuis le temps qu'il espérait qu'elle assiste à une rencontre, il fallait que ce soit celle où son équipe perdait. La honte !

Sa stratégie de séduction, mise en place depuis des semaines et qui commençait juste à porter ses fruits, s'effondrait.

Non. Il y avait encore une possibilité. Il n'aimait pas faire ça, il savait qu'il le regretterait, mais la situation était exceptionnelle et justifiait une entorse à ses résolutions. Maud était là. S'il voulait la séduire…

Alors qu'un joueur de l'équipe adverse faisait une passe longue à un de ses partenaires, Natan bondit.

Haut.

Très haut.

Plus haut que quiconque dans le gymnase aurait jugé humainement possible de bondir.

Il attrapa le ballon. Dans le même mouvement, il vrilla son buste, tira. En arrière. Sans regarder sa cible.

Le ballon s'envola, décrivit une courbe parfaite et s'engouffra dans le panier à plus de vingt mètres de là. Il n'avait pas touché le panneau et à peine frôlé le filet. À cet instant précis, l'arbitre siffla la fin de la rencontre.

Il ne s'agissait que d'un match opposant deux groupes de lycéens. Le public, composé de familles et de jeunes venus soutenir leurs copains, n'était pas très nombreux, pourtant la victoire providentielle de l'équipe de Natan engendra un impressionnant vacarme. Des cris s'élevèrent, saluant l'exploit du jeune pivot de Marie-de-France, tandis que les supporters de Stanislas le huaient.

Natan, à moitié enseveli sous ses partenaires en liesse qui scandaient son nom, réussit à tourner la tête vers les gradins. Il capta le regard de Maud et un grand sourire fendit son visage lorsqu'il découvrit la flamme d'admiration qui y brillait. Puis ses yeux revinrent sur le terrain. Il nota la mine stupéfaite de ses adversaires et leur air incrédule. Il capta une bribe de conversation entre deux joueurs, suivit leurs doigts qui désignaient la trajectoire du ballon…

– Merde, murmura-t-il dans un souffle.

Il s'était encore fait remarquer.

– J'en reviens pas !

L'eau de la douche, brûlante, ruisselait sur la tête d'Arthur, mais il ne semblait pas s'en apercevoir. Il dévisageait Natan avec une expression qui ressemblait fort à de la vénération.

– J'en reviens pas, reprit-il. Je n'ai jamais vu ça !

– Un coup de chance, tempéra Natan. Rien de plus.

– Arrête, tu joues comme un pro. Ils ont de sacrés basketteurs à Stanislas. Avant que tu arrives, ils nous mettaient la pâtée à chaque rencontre, et toi, tu te balades sur le terrain comme si tu matchais contre des gars en scaphandre !

– Tu exagères.

– Pas du tout ! Dis-moi, Nat...

– Oui ?

– Tu es sûr de ne jouer au basket que depuis un an ?

Natan hésita. Pour s'offrir quelques secondes supplémentaires de réflexion, il entreprit de savonner ses cheveux noirs qu'il portait assez longs, insensible à la mode exigeant que les garçons de son âge soient rasés ou presque.

– Alors ? insista Arthur.

Natan se mordit les lèvres. Il n'avait pas menti lorsqu'il avait affirmé n'avoir jamais mis les pieds sur un terrain de basket avant le début de la saison...

... Il avait juste omis de préciser qu'il lui fallait en moyenne une semaine pour maîtriser un sport et guère plus d'un mois pour atteindre le niveau professionnel.

Quel que soit le sport !

Il le savait, il en avait essayé vingt-trois.

– Je t'assure, vieux. J'ai touché mon premier ballon de basket lorsque je suis arrivé à Montréal, il y a huit mois.

Arthur poussa un sifflement admiratif.

– C'est incroyable. Et tu n'as que seize ans... Je suis certain que ces types au premier rang étaient là pour toi. Ils ne t'ont pas quitté des yeux.

– Quels types ?

– Deux hommes en costume noir, c'étaient sûrement des recruteurs, peut-être même pour une équipe des States. Tu ne les as pas vus ?

Natan éclata de rire.

– Non, et c'est peut-être pour ça que je suis bon. Je regarde ce qui se passe sur le terrain, moi, pas les gens sur les gradins.

– Sauf quand les gens en question sont roulés comme une top model et s'appellent Maud, se moqua Arthur.

– Tout juste, vieux ! s'exclama Natan en saisissant sa serviette. D'ailleurs, j'ai beau apprécier ta compagnie, je te quitte. Juste au cas où la Maud dont tu parles aurait la bonne idée de m'attendre à la sortie du gymnase.

Les joueurs de l'équipe avaient suivi la conversation. Ils lancèrent sur les charmes de Maud quelques blagues douteuses que Natan préféra ignorer. Il finit d'enfiler ses vêtements et se précipita vers la sortie.

En dépit de ses assertions, Maud n'occupait désormais plus ses pensées. Il partait – fuyait aurait davantage convenu – de crainte qu'Arthur ou un autre de ses copains ne lui pose une question à laquelle il serait incapable de répondre.

Une question piège.

Il n'aurait pas été inquiet si quelqu'un n'avait pas, justement, détesté ce genre d'histoire.

Quelqu'un que Natan n'avait aucune envie de décevoir.

Quelqu'un qui ne lui pardonnerait pas cette nouvelle incartade.

Son père.

2

Maud ne l'attendait pas à la sortie.

Natan, qui s'en doutait un peu, se contenta de hausser les épaules.

Maud n'était pas facile à séduire, de nombreux garçons du lycée l'avaient appris à leurs dépens. Qu'elle ait assisté au match était déjà remarquable. Le reste viendrait plus tard…

Il se mit à marcher d'un pas rapide. Le vent qui soufflait depuis une semaine sur Montréal en provenance des Laurentides n'avait pas encore apporté de neige, mais cela ne tarderait pas. Il était glacé et la température ne devait pas dépasser un ou deux degrés.

La ville se préparait à l'hiver. Les plantes étaient emmaillotées dans des bâches isolantes pour les protéger de la neige des souffleuses, des plaques antidérapantes étaient fixées sur les marches des immeubles et les trottoirs étaient débarrassés des obstacles qui risquaient de gêner le passage des déneigeuses.

Natan était arrivé avec ses parents au mois d'avril, quelques semaines avant que le printemps n'impose au Québec le vert comme couleur dominante, et il lui tardait de retrouver la blancheur du paysage qui avait pansé son vague à l'âme lorsqu'il avait atterri à l'aéroport Trudeau. Ce blanc qui l'avait déjà fasciné sur le sommet du Kilimandjaro durant son séjour en Tanzanie ou, plus récemment, dans les plaines ukrainiennes alors qu'il résidait à Kiev après un énième déménagement.

Natan avait cessé de compter le nombre de fois où il avait changé de maison, de ville, de pays ou de continent pour suivre son père pris par son travail de consultant en macroéconomie internationale.

Conséquences de cette existence nomade, il parlait couramment cinq langues, avait arpenté plus de cités étrangères que bien des explorateurs, mais ne possédait aucune attache, aucun ami digne de ce nom. Plus grave, le sentiment que sa vie était vide s'aggravait de mois en mois. Seule restait la neige. Et la paix qu'elle lui apportait quand elle tombait et recouvrait maisons et paysages.

Non, ce n'était pas tout à fait exact. Il y avait le sport aussi. Cette faculté qu'il détenait de percevoir l'espace et les trajectoires, de pousser son corps au-delà des limites communément admises, de le contraindre à des exploits étonnants. Lorsqu'il bougeait ainsi, il était heureux, il se sentait entier. Il aurait pu devenir un champion dans n'importe quelle discipline. Si seulement...

Un coup de klaxon excédé le tira de ses pensées alors qu'il traversait le chemin de la Côte-des-Neiges. Il courut jusqu'au trottoir opposé et adressa un signe d'excuse au conducteur qui avait freiné pour l'éviter.

Il reprenait sa route lorsqu'il remarqua deux hommes en costume sombre qui marchaient derrière lui.

Malgré le froid, ils ne portaient pas de manteau, et les chapeaux à large bord qui les coiffaient paraissaient plus adaptés à un pays tropical qu'au Canada en novembre. Leurs yeux étaient cachés par des lunettes de soleil qui leur mangeaient la moitié du visage. Cet accoutrement n'était toutefois pas assez étrange pour attirer véritablement l'attention. Natan les aurait oubliés sitôt après les avoir repérés s'ils ne s'étaient arrêtés brusquement. Ils le fixèrent un bref instant, échangèrent un regard et firent demi-tour.

C'étaient peut-être les types en costume dont lui avait parlé Arthur, Natan aurait en revanche mis sa main au feu qu'il ne s'agissait pas de recruteurs. L'esprit plus libre, il les aurait suivis, par curiosité plus que par méfiance, mais la bourde qu'il avait commise pendant le match le tracassait. Si son père en entendait parler…

Natan n'avait aucune envie de déménager une fois de plus.

Il longea l'université de Montréal puis le parc avant de redescendre vers le quartier de Ville Mont-Royal. Il habitait une vaste maison en pierre taillée et bois clair qui avait provoqué les sifflements admiratifs de ses copains, pourtant issus de familles aisées, qui fréquentaient comme lui un des deux lycées français de Montréal.

Natan aurait été incapable de définir avec précision en quoi consistait le travail de son père, mais il savait qu'il gagnait très bien sa vie. En comparaison, le travail de sa mère, experte en assurances auprès d'une multinationale, bien qu'il lui permette de toucher un très confortable salaire, avait presque rang d'activité bénévole.

L'argent ne fait pas le bonheur. Une formule rebattue dont Natan s'était emparé lorsqu'il avait été en âge de comprendre que sa vie n'était pas normale. Un compte en banque ne remplacera jamais un sourire et, si ses parents gagnaient des millions et pourvoyaient largement à ses besoins matériels, Natan s'était souvent senti en manque d'affection.

Du plus loin que remontaient ses souvenirs.

L'éducation qu'il avait reçue, et qu'il continuait à recevoir, était tout entière tournée vers la performance scolaire et l'excellence intellectuelle. Des cours particuliers, des répétiteurs, la volonté affichée de faire de lui un garçon parfaitement à l'aise dans les milieux les plus brillants de la planète, mais peu de baisers, peu de tendresse.

De l'amour, sans doute. Discret.

Trop discret.

Natan se mit à courir à petites foulées. Il n'était pas pressé, pas vraiment, mais courir – il l'avait découvert très jeune – lui permettait de faire le ménage dans sa tête, de chasser les pensées sombres qui gâchaient ses journées.

Courir était la discipline par laquelle il avait pris conscience de sa différence. Il avait six ans et le prof de sport de l'école qu'il fréquentait à Melbourne avait été sidéré de découvrir qu'il pouvait courir une demi-heure à bonne allure, sans le moindre essoufflement. Persuadé d'avoir mis la main sur le futur champion qui embraserait les stades, il avait convoqué les parents de Natan.

Trois jours plus tard, ils avaient déménagé.
Natan avait commencé à comprendre.

Lorsqu'il poussa la porte de sa maison, il faisait nuit. Il n'y avait personne. Ses parents l'avaient prévenu qu'ils rentreraient tard ce soir-là. Encore une de ces réceptions qui donnaient à Natan l'impression d'être orphelin…

Suivant les consignes de sa mère, la cuisinière avait mitonné à son intention un risotto et des brochettes de poisson qu'il n'avait qu'à réchauffer. Il préféra se préparer un hot-dog qu'il avala en jetant un œil distrait sur ses cours. Obtenir de bons résultats ne lui avait jamais demandé beaucoup de travail.

Il s'installa ensuite devant la télévision et passa la soirée à zapper de chaîne en chaîne jusqu'à tomber sur un film qu'il jugea assez intéressant pour le regarder jusqu'à la fin.

Il était minuit lorsqu'il se glissa dans son lit. Il s'endormit en pensant à Maud et à ce qu'il lui dirait le lendemain, quand il la retrouverait au lycée.

Le bruit que firent ses parents en rentrant le tira du sommeil. Le réveil lumineux sur sa table de nuit indiquait deux heures et demie. Natan s'enroula dans ses couvertures. Il refermait les yeux lorsqu'une curieuse sensation se faufila jusqu'à sa conscience. Non, plus qu'une sensation. Une certitude.

Il se leva et s'approcha de la fenêtre.

Il neigeait.

De lourds flocons d'hiver qui tombaient à la verticale et masquaient les lumières de la rue.

Natan se surprit à sourire avec béatitude.

Enfin !

Il s'empara de ses vêtements, s'habilla le plus silencieusement possible puis enfila sa parka. La fenêtre n'émit qu'un discret grincement quand il l'entrebâilla.

Il attrapa la gouttière et se laissa glisser au sol avec l'agilité d'un chat. Il avait pratiqué la gymnastique dans un club de Dublin lorsqu'il avait neuf ans, et son entraîneur lui avait promis un avenir brillant… juste avant qu'il ne déménage.

Une fois dans le jardin, Natan ouvrit les bras en grand et leva la tête vers le ciel. Des flocons s'écrasèrent sur son visage, si doux qu'ils en paraissaient irréels. À peine froids.

Magiques.

Il devait neiger depuis un bon moment car un voile blanc couvrait déjà les plantes, le sol et les constructions, gommant le relief et adoucissant les angles.

Natan enfonça ses mains dans ses poches et se mit en marche, l'esprit et le cœur légers.

Il arrivait dans la rue lorsqu'un souffle titanesque le frappa entre les épaules, le projetant à terre avec une violence inouïe. Un grondement sauvage s'éleva dans son dos et la nuit fut soudain chassée par une lumière blanche éblouissante. Une vague de chaleur déferla sur Natan, lui arrachant un gémissement de douleur. Lorsqu'elle fut passée, il se redressa sur un coude.

Se retourna…

De sa maison, il ne restait plus qu'un cratère fumant.

3

– Le premier qui approche est mort !

Shaé rejeta ses longs cheveux noirs en arrière et se campa sur ses jambes, tentant de prendre un air belliqueux. Pendant un court instant, elle crut que son bluff fonctionnait. Les quatre garçons qui l'avaient coincée derrière la salle polyvalente hésitaient, décontenancés par ses paroles menaçantes.

Elle connaissait trois d'entre eux pour les avoir croisés à de nombreuses reprises en ville ou dans les couloirs du lycée. Pas de vrais méchants, des jeunes qui voulaient se faire passer pour des durs, mais n'étaient guère plus dangereux que des caniches. Et moins intelligents.

Stupides.

Prétentieux.

Influençables.

Le quatrième était différent. Plus âgé, une vingtaine d'années, grand, costaud, une vilaine cicatrice barrant sa lèvre inférieure. La lueur qui brillait dans ses yeux était dure, inquiétante, et, visiblement, il commandait. S'il y avait un risque c'était de lui qu'il provenait.

Shaé jeta un coup d'œil autour d'elle en quête d'une aide improbable. Leur traquenard était au point. Ils avaient commencé par l'amadouer avec des paroles aimables, puis lui avaient fait croire qu'ils pouvaient lui procurer pour pas cher le portable dont elle rêvait, avant de la conduire dans ce coupe-gorge.

Elle avait d'abord pensé qu'ils convoitaient son sac. Elle était prête à le leur abandonner. On ne court pas le risque de se faire rouer de coups pour une poignée de centimes et quelques babioles. Puis elle avait noté le regard torve du balafré et compris qu'elle ne s'en tirerait pas aussi facilement. Elle avait commencé à avoir peur.

Pour eux.

– Le premier qui approche est mort !

– C'est ça, ma belle, railla le balafré. Je vais mourir... de plaisir ! Attrapez-la qu'on s'occupe d'elle tranquillement.

Ses trois complices n'hésitèrent pas assez longtemps pour que Shaé décèle une faille dans leur soumission. Ils avancèrent vers elle, mains tendues, un mélange de stupidité et de concupiscence peint sur leur visage.

Le genou de Shaé s'écrasa avec force contre une partie sensible, et un des garçons se plia en deux avec un cri de douleur très convaincant. Elle profita de l'instant de stupeur causé par son geste. Elle bouscula celui qui lui barrait le passage, s'élança... Des bras se refermèrent sur elle, l'immobilisant avec rudesse. Le balafré s'approcha.

– Sale petite garce ! cracha-t-il.

Il la gifla. Deux fois. Violemment.

Shaé sentit le goût fade du sang envahir sa bouche puis cette sensation disparut, remplacée par une autre. Plus profonde. Effrayante.

La Chose s'éveillait en elle.

« Me contrôler, je dois me contrôler ! »

Elle ferma les yeux, se mit à trembler.

– T'as raison d'avoir peur, sale garce. Quand j'en aurai fini avec toi, tu... Tenez-la, bordel !

Shaé avait poussé un cri rauque. Elle se plia en deux. Le garçon qui tentait d'immobiliser son bras droit fut projeté en arrière. Il lâcha prise, alla s'aplatir par terre trois mètres plus loin.

« Me contrôler, je dois me contrôler ! »

Un deuxième cri sortit de sa gorge. Inhumain.

– C'est pas vrai ! s'emporta le balafré. Il faut que je m'occupe de tout !

Il leva le poing.

Shaé frappa avant lui.

Trop rapide pour qu'il ait une chance d'éviter le coup.

Sous l'impact, la tête du balafré partit en arrière. Avec un grognement incrédule, il porta les doigts à sa joue. Il les retira ruisselants de sang.

– Elle a un couteau ! vociféra-t-il.

Puis son regard tomba sur la main de Shaé. Elle ne tenait pas de couteau...

... et ce n'était pas une main.

Pendant une seconde, il refusa ce qu'il voyait. Ce n'était pas possible. Ce n'était pas possible. Ce n'était...

Derrière les longs cheveux noirs de la fille, deux yeux effrayants se rivèrent dans les siens.

Deux yeux jaunes et brillants aux pupilles verticales.

Des yeux de fauve.

Le hurlement de terreur qui cherchait à se libérer sortit enfin de la gorge du balafré. Oublieux de la douleur qui brûlait sa joue, il tourna les talons et s'enfuit. Ses comparses qui n'avaient pourtant rien vu l'imitèrent.

Shaé se laissa tomber au sol.

Son corps lui criait de s'abandonner. D'accepter.

Elle refusa.

Allongée sur le dos, les yeux clos, elle se força à inspirer profondément. À souffler à fond.

« Me contrôler, je dois me contrôler ! »

Les battements de son cœur se calmèrent. Avec un soupir de soulagement, elle sentit la Chose battre en retraite, retrouver sa place tout au fond d'elle, se rendormir.

À moitié.

La première larme jaillit.

4

Agenouillé dans la neige, Natan respirait avec peine.

Il s'était écorché le front et les mains en tombant, mais ne ressentait aucune douleur. Il regardait brûler les débris de sa maison qui n'avaient pas été soufflés par l'explosion, essayait de deviner ce qui s'était passé, pourquoi, comment…

Il n'y arrivait pas.

Il savait juste qu'il aurait dû se trouver dans son lit. En train de dormir. Sans la neige, il serait mort.

Comme étaient morts ses parents.

Des voix s'élevèrent dans la rue. Des cris. Une portière claqua. Puis deux, trois. Une voiture démarra. Une sirène retentit au loin. Un téléphone sonna.

Natan mit de longues secondes à comprendre que c'était le sien.

Machinalement, il le sortit de sa poche et le porta à son oreille.

– Natan, écoute-moi bien. Ceci…

Son père ! Son père l'appelait !

– … est un message enregistré. Si tu l'entends, c'est que la situation est très grave. Ta vie est en danger.

Mets-toi immédiatement à l'abri. Ne parle à personne, surtout pas à la police. Dans dix minutes exactement, un nouvel appel te parviendra.

Tonalité lancinante.

La communication était achevée.

– Papa ?

Silence.

Natan se leva avec une grimace. Son hébétude se dissipait peu à peu, laissant place à un chaos de pensées contradictoires et tournoyantes qui faisaient battre le sang à ses tempes. Une seule était cohérente, il s'y raccrocha comme à une bouée de sauvetage : il devait se mettre à l'abri !

Son premier pas lui tira un gémissement de douleur. Sa chute avait été violente et il avait l'impression que sa hanche était en miettes. Puis les silhouettes des voisins se profilèrent dans la lueur des flammes. Natan clopina jusqu'à une haie et se glissa entre les buissons. Lorsque les premiers véhicules de la police arrivèrent sur les lieux, il était déjà loin.

La neige avait cessé de tomber. Le parc Jarry était sombre et désert. Natan, blotti sous les frondaisons basses d'un sapin, contemplait la tache lumineuse que formait l'écran de son téléphone. Lorsque la sonnerie retentit, il était prêt. Tremblant, il prit la communication. Il reconnut tout de suite son père.

Aucune hésitation dans sa voix.

Aucune émotion.

– J'espère que tu as suivi mes conseils et que tu te trouves à l'abri. Tout d'abord, il est essentiel que tu gommes de ton esprit toute trace de chagrin, de regret ou d'un quelconque sentiment de ce genre. Tu vas vivre des moments difficiles et il faut que tu sois efficace. Or la sensiblerie et l'efficacité ne font pas bon ménage, je te l'ai assez répété, j'espère, pour que tu l'aies compris. Je ne peux rien te dévoiler dans ce message. Le risque est trop important qu'il parvienne à des oreilles auxquelles il n'est pas destiné. Explications et consignes t'attendent sous les pattes de l'orignal.

Un frisson parcourut le dos de Natan. Un frisson de froid, de peur, d'angoisse, mais aussi d'excitation. Au-delà du choc causé par la destruction de sa maison et la mort de ses parents, ou peut-être à cause de ce choc, il avait l'impression d'avoir basculé dans un rêve. Et le message qu'il venait de recevoir, empreint de mystère, contribuait à ce sentiment.

L'explosion n'était pas accidentelle ! Son père l'avait anticipée puisqu'il avait mis en place un relais de messagerie certainement complexe. Qu'avait-il à lui révéler ? Qui était responsable de cet assassinat ? Pourquoi ne devait-il pas demander l'aide de la police ? Des questions qui auraient été désespérantes de complexité si Natan n'avait saisi une extrémité du fil qui courait entre elles.

« Sous les pattes de l'orignal. »

Cela datait de l'été passé. Fait rarissime, les parents de Natan avaient décidé de consacrer quatre jours entiers à leur famille. Les ordinateurs avaient été éteints, les portables laissés à la maison et ils étaient partis tous les trois en voiture jusqu'au parc national de la Mauricie. Natan se souvenait de sa surprise lorsqu'au détour d'une route ils avaient plongé dans un décor digne des romans de James Curwood ou de Fenimore Cooper. Des forêts à perte de vue, constellées de lacs aux eaux limpides, des rivières, des cascades et une multitude de chemins qui s'enfonçaient dans l'inconnu. Ils avaient loué un bateau pour traverser le lac du Fou jusqu'à un chalet niché au pied d'un éperon rocheux. Quatre journées hors du temps durant lesquelles Natan avait retrouvé – trouvé aurait été plus juste – ses parents. Baignades, pêche, randonnées et, au soir du troisième jour, debout sur le ponton au bord du lac, il avait crié en tendant le bras :

– Un orignal ! Là, sur le sentier !

Ce n'était qu'un cheval. La méprise avait fait rire sa mère, cavalière émérite, et son père n'avait pu retenir une pique moqueuse :

– Il y a bien un orignal ici, mais il a deux pattes et il est sur le ponton à côté de moi !

Durant toute la journée du lendemain, ses parents l'avaient appelé « mon petit orignal », puis ils étaient rentrés à Montréal et la vie avait repris son cours.

« Explications et consignes t'attendent sous les pattes de l'orignal. »

Natan savait où aller et cette certitude créait une lueur dans un univers qui, un peu plus tôt, avait viré au noir.

La voiture de sa mère, une Pontiac Firebird bleue, se trouvait à l'angle de l'avenue Chester. Il l'avait remarquée en revenant du lycée et s'était demandé pourquoi elle l'avait garée si loin de la maison.

Il n'aurait jamais la réponse à cette question comme à bien d'autres, mais il n'allait pas laisser passer cette aubaine.

Habitude australienne que sa mère avait conservée, un double des clefs était rangé dans une petite boîte magnétique dissimulée avec soin sous la carrosserie.

Natan repéra la cachette après moins de dix secondes de recherche. Il faillit sourire en songeant qu'il aurait été à peine plus stupide d'abandonner les clefs sur le contact puis se ravisa. La situation était tout sauf comique.

Il avait appris à conduire très jeune sur les pistes terreuses qui sillonnaient leur immense ranch en Tanzanie. Gagner le parc de la Mauricie ne posait pas de problème et, en plein milieu de la nuit, il doutait d'être contrôlé par la police.

Le moteur V8 vrombit à la première sollicitation. L'horloge du tableau de bord indiquait trois heures du matin. Natan enclencha le levier de vitesse, appuya en douceur sur l'accélérateur. La Pontiac obéit avec fluidité.

Il emprunta une longue avenue bordée de belles maisons semblables à la sienne avant de s'engager sur l'autoroute Métropolitaine. Il prit la direction de Trois-Rivières.

La neige s'était remise à tomber.

5

Natan ne prit conscience de la vitesse à laquelle il roulait que lorsqu'il traversa Shawinigan. Cent quarante kilomètres à l'heure au lieu des cent dix autorisés sur l'autoroute. De quoi s'attirer de sérieux ennuis si un véhicule de police l'interceptait. Il leva prudemment le pied et se concentra sur sa conduite.

Il neigeait toujours. Des flocons légers que les essuie-glaces balayaient sans peine et qui ne gênaient pas la visibilité. Des flocons auxquels Natan se raccrochait comme à une improbable bouée de sauvetage.

Le paysage que les phares éclairaient par intermittence avait encore blanchi depuis que Natan avait quitté la rive du Saint-Laurent, et, lorsqu'il aborda les virages serrés qui se succédaient après Saint-Jean-des-Piles, les premières congères apparurent, lui tirant une grimace. Malgré son amour de la neige, cela ne l'arrangeait pas du tout. La route qui traversait le parc n'était pas entretenue pendant l'hiver. Elle risquait d'être impraticable et le lac du Fou se trouvait à plus de dix kilomètres de l'entrée. Il se voyait mal effectuer le trajet à pied, d'autant que la température avait dû passer sous la barre des moins dix.

Un coup d'œil jeté sur le thermomètre du tableau de bord confirma ce pressentiment. Moins douze. Il restait à espérer que la couche de neige ne soit pas trop épaisse et que sa mère ait songé à faire monter les pneus d'hiver.

Sa mère.

En se remémorant son visage, Natan crispa ses mains sur le volant. La voiture fit une embardée, frôla le talus, puis revint vers le milieu de la chaussée heureusement déserte. Elle louvoya un moment avant qu'il n'en reprenne le contrôle.

Ne pas réfléchir, ne pas laisser l'émotion le submerger, se concentrer sur son objectif… Natan expira plusieurs fois à fond. Lentement, les battements de son cœur retrouvèrent un rythme normal. Le ponton. Les pattes de l'orignal. C'était tout ce qui comptait. Le reste n'existait pas.

Lorsqu'il pénétra dans le parc de la Mauricie, il était apaisé.

Un vent aigu s'était levé, chassant les nuages et dévoilant une lune ronde et dorée qui faisait luire la cime des arbres. Comme lorsqu'il était venu avec ses parents, Natan fut frappé par le changement. Plus une voiture, pas une lumière, pas une construction, pas même un simple poteau, la route seule comme lien ultime avec le monde.

Il s'arrêta.

Devant lui, le goudron était couvert d'un tapis blanc qui se déroulait à perte de vue. Natan sentit palpiter la boule nouée au creux de son ventre. Il était encore temps de faire demi-tour, de se présenter à la police, de demander de l'aide, de s'effondrer…

Natan ferma les yeux une seconde.

Quand il les rouvrit, sa décision était verrouillée.

Il enclencha une vitesse et, lentement, s'enfonça dans le parc.

Jusqu'au lac Bouchard, le trajet se déroula sans obstacle. Natan conduisait en douceur, la Pontiac adhérait à la chaussée, et il se prit à croire que tout irait bien. Puis la couche de neige s'épaissit, la route commença à monter. Une première fois, la voiture patina, et il dut reculer pour prendre de l'élan afin de franchir le passage délicat. Il négocia le virage suivant un peu trop vite et évita de justesse le fossé.

À huit cents mètres du lac du Fou, il fut évident que la Pontiac n'irait pas plus loin. Natan dut se résoudre à l'abandonner. Il releva le col de sa parka, enfonça son bonnet sur ses oreilles et, regrettant de n'être pas chaussé de ses bottes d'hiver, il continua à pied.

Atteindre le chemin qui descendait jusqu'à la crique ne lui prit guère plus d'un quart d'heure. Il le dévala en s'enfonçant parfois jusqu'aux genoux dans la poudreuse, refusant de songer à l'effort que demanderait la remontée.

En arrivant sur la berge, il jeta un coup d'œil inquiet sur le lac. Si sa surface était déjà prise par la glace, il serait contraint à un détour de plus de cinq kilomètres, et il n'était pas sûr d'avoir la force de l'accomplir. Il soupira de soulagement en entendant le clapotis des vaguelettes qui venaient mourir contre les racines des arbres proches. Il pouvait passer.

Voler, ou plutôt emprunter un bateau, ne lui posait pas de problème de conscience. Il s'approcha de la cabane où le loueur abritait ses canoës. Elle était fermée par un gros cadenas, mais la chaîne ne tenait à la porte que par deux crochets branlants.

Natan était certain de ne pas trouver âme qui vive à moins de vingt kilomètres. Il observa cependant avec prudence les alentours. Il prit ensuite une profonde inspiration et referma ses mains sur la chaîne.

Il faisait froid sur le lac. Très froid. Natan commença à claquer des dents. Il avait beau pagayer de toutes ses forces, le manque de sommeil et le trop-plein d'émotions se faisaient dangereusement ressentir.

La vue d'un piton rocheux sur l'autre rive lui redonna courage. Un piton qu'il connaissait bien. La pleine lune se réverbérant sur la neige le teintait d'argent alors qu'en plein jour, Natan s'en souvenait parfaitement, la bauxite qu'il contenait lui donnait l'aspect d'un bastion de fer rouillé. Le chalet se trouvait à son pied.

Natan guida son canoë jusqu'au ponton et y grimpa. Avec frénésie, il entreprit de dégager les planches recouvertes de neige.

Il s'arrêta très vite.

Ses mains engourdies par le froid manquaient d'efficacité. Il lui fallait un outil, un balai ou une pelle. Il partit en courant vers le chalet.

Il atteignait l'escalier de pierre conduisant à la véranda lorsqu'il remarqua les traces. Des empreintes énormes qui traversaient le chemin et se perdaient entre les arbres.

Des empreintes d'ours.

Il était fréquent d'apercevoir un ours dans le parc. Si fréquent qu'il était conseillé aux campeurs de ne pas conserver de nourriture près d'eux lorsqu'ils dormaient sous la tente, s'ils ne souhaitaient pas recevoir la visite nocturne d'un plantigrade gourmand. Les ours de la Mauricie n'étaient toutefois agressifs que lorsqu'ils étaient surpris, et les accidents étaient très rares.

Celui qui avait foulé la neige devant le chalet devait être un gros mâle se préparant à hiberner. Ses empreintes n'avaient pas été recouvertes par la neige. Il s'était donc tenu là très peu de temps auparavant. Natan songea qu'il l'avait sans doute dérangé pendant une de ses dernières soirées éveillées avant l'hibernation.

Il gagna la porte et enfonça sa main dans un creux derrière une poutre. Avec un peu de chance... Oui, la clef était là. Les Québécois vivaient dans un pays où confiance en son prochain et naïveté n'étaient pas encore des synonymes.

Il pénétra dans le chalet et rétablit le courant en actionnant le disjoncteur, avant d'ouvrir le placard de l'entrée. Il ne fut pas étonné d'y trouver une dizaine de paires de couvre-chaussures en caoutchouc, des couvertures, du matériel de déneigement ainsi que des provisions, des bougies et des torches électriques. La plupart des maisons canadiennes étaient organisées pour qu'en cas de tempête le nécessaire de survie reste accessible.

Natan s'empara d'une lampe et d'une pelle à large lame, puis repartit vers le ponton. Il ne ressentait plus la fatigue et se mit au travail avec ardeur. Très vite, il découvrit une planche plus claire que les autres. Les clous qui la fixaient au ponton brillaient de l'éclat du neuf, et elle n'était pas polie par les passages et les intempéries.

Natan engagea la pelle dans l'interstice qui la séparait de la planche voisine et pesa de tout son poids sur le manche. Avec un grincement, elle s'arracha au ponton. Une cavité était aménagée au-dessous, abritant un coffret métallique. Natan le saisit et, réprimant son envie de l'examiner sur-le-champ, regagna le chalet.

Il ferma la porte derrière lui. Son cœur battait à grands coups intenses dans sa poitrine et ses mains ne cessèrent de trembler que lorsqu'il s'assit sur un canapé, le dos tourné à l'immense baie vitrée qui donnait sur la nuit.

Le coffret presque cubique, certainement du titane, était très lourd. En guise de serrure, il présentait une plaque de verre sombre scellée dans le métal. Natan comprit qu'il s'agissait d'une cellule d'identification biométrique.

Il retint son souffle et y pressa son pouce.

Avec un déclic feutré, le coffret s'ouvrit.

6

Un fin faisceau de lumière bleutée en jaillit, la représentation en trois dimensions d'un homme s'esquissa. Ses contours se précisèrent et Natan reconnut son père.

Haut d'une dizaine de centimètres, l'hologramme était d'une fidélité si surprenante qu'il poussa un cri de surprise et dut poser le cube sur la table basse pour ne pas le laisser tomber.

– *Ainsi les choses ont mal tourné…*

La voix de son père paraissait s'échapper de l'hologramme, donnant l'illusion parfaite que la silhouette s'exprimait.

– … *C'est regrettable, mais l'essentiel est que tu t'en sois sorti. Si ce que je présage est exact, tu te trouves en ce moment près du lac du Fou avec des questions plein la tête et des larmes plein les yeux…*

Natan serra les mâchoires et attendit la suite, les yeux parfaitement secs.

– … *Tu vas commencer par sécher ces dernières. Tu as beaucoup à apprendre, peu de temps pour le faire. Très peu de temps.*

Un bref silence, puis :

– *Ta vie est en danger, Natan !*

Étrangement, l'annonce n'eut aucun effet sur Natan. D'abord parce que son père le lui avait déjà dit dans son message téléphonique, ensuite et surtout parce qu'il le sentait dans chacune des fibres de son corps depuis qu'il avait découvert le cratère fumant à la place de sa maison.

– *Écoute-moi bien, et retiens chacun de mes mots. Même si nous ne t'en avons jamais parlé, tu fais partie d'une famille, Natan. Une famille qui compte des membres dans le monde entier, une famille dont la richesse est aujourd'hui inestimable, une famille qui possède tout ce qui mérite d'être possédé, une famille qui, lorsque c'est nécessaire, fait et défait les nations. La Famille. Ne crois surtout pas que j'exagère. Un sang différent coule dans tes veines. Le sang du pouvoir.*

Malgré lui, Natan fronça les sourcils. Le sang du pouvoir ? Ce genre de formulation était pour le moins suspect. Déjà son père poursuivait :

– *J'appartiens à la Famille, comme mes parents et les parents de mes parents depuis la nuit des temps. Pourtant, peu avant ta naissance, j'ai choisi de m'en éloigner. Tout te raconter serait trop long, sache toutefois que ce choix est lié à ma rencontre avec ta mère et à notre décision de nous unir malgré le désaccord des miens. Depuis cette époque, sans les fuir, je me suis tenu à distance et je ne leur ai jamais parlé de toi. Ils ne brillent pas par leur tolérance et, redoutant leurs réactions, c'était à mon sens la meilleure attitude à observer. Aujourd'hui cette réticence n'est plus de mise.*

Un bref silence puis :

– *De tous temps, la Famille a affronté de puissants adversaires. Nous pensions les avoir éliminés, mais certains signes récents tendent à prouver qu'il n'en est rien. La mort de ta mère et la mienne confirment cette crainte.*

Entendre son père évoquer sa propre disparition était une véritable torture. Lorsqu'il avait enregistré cet hologramme, il savait qu'il était menacé. Pourquoi ne lui en avait-il pas parlé ? N'avait-il vraiment aucun moyen d'éviter ce drame ?

– *Tu dois fuir le Canada, Natan. Le plus tôt possible. Des papiers d'identité et de l'argent sont dissimulés dans le coffret que tu as devant toi. Prends-les.*

Natan se pencha. L'empreinte de son pouce avait déclenché le mécanisme holographique et déverrouillé un tiroir à la base du cube. Il y trouva un passeport établi au nom de Natan Guerne, de nationalité française, et une liasse de dollars canadiens et d'euros. Une petite fortune. Sur la bande de papier qui les maintenait, un numéro de téléphone avait été noté avec soin.

– *Prends l'avion pour Marseille. Dès aujourd'hui, demain au plus tard. S'il n'y a pas de vol direct, prends un vol avec escale, l'essentiel est que tu partes le plus vite possible. Lorsque tu seras arrivé, appelle ce numéro. Quelqu'un viendra te chercher. J'aurais pu te mettre en contact avec des membres canadiens de la Famille, mais j'ai craint qu'ils se montrent mal disposés à ton égard. Certaines rancunes sont tenaces.*

– Je comprends.

Désorienté, Natan avait parlé à voix haute. Pour se reprendre, il glissa passeport et billets dans la poche de sa parka.

– *Ceux qui en veulent à ta vie sont moins organisés que nous et beaucoup moins puissants. En France, tu seras en sécurité, mais tant que tu n'as pas…*

Avec un bruit assourdissant, la baie vitrée derrière Natan explosa.

Une masse énorme atterrit sur le dossier du canapé.

Un bras effrayant, musculeux, couvert d'une toison grise hideuse, fouetta l'air. Des griffes acérées, longues de dix centimètres, plongèrent vers la gorge de Natan…

… qui n'était plus là.

Comme si son corps était soudain devenu autonome, à l'instant précis où la vitre se brisait il avait plongé par-dessus la table, effectué un roulé-boulé et s'était relevé hors de portée. Il écarquilla les yeux. La créature qui se tenait accroupie sur le canapé n'avait rien d'humain… mais ce n'était pas non plus un animal !

Il remarqua d'abord la gueule, formidable et écumante, garnie de crocs jaunâtres impressionnants. La gueule d'un loup.

Puis ce furent les yeux, orange, les pupilles verticales, presque phosphorescentes à force d'éclat. Les oreilles, pointues, couronnées d'un pinceau de poils hérissés. Les bras, longs et puissants, terminés par des mains griffues capables d'éventrer un homme d'un seul mouvement.

Natan était pétrifié. Davantage que la terreur, c'était la certitude se frayant un passage dans son esprit qui l'immobilisait :

Un loup-garou !

C'était un loup-garou !

Lentement, le monstre descendit du canapé. Plus grand qu'un homme, il se tenait debout sur ses membres inférieurs et se déplaçait avec une grâce envoûtante. Il s'était blessé en traversant la baie vitrée et le sang dessinait un inquiétant labyrinthe de ruisseaux écarlates sur sa fourrure grise. Il n'en paraissait pas le moins du monde gêné. Lorsqu'il bondit en avant, ce fut à une vitesse sidérante. Mortelle.

Natan fut plus rapide.

Sortant brusquement de son engourdissement, il rafla le cube de titane sur la table et, dans le même mouvement, le projeta à la tête du monstre. De toutes ses forces.

Il avait fait partie d'une équipe de handball lorsqu'il vivait à Genève. Son shoot droit, diaboliquement précis, était très vite devenu célèbre, et rares avaient été les gardiens de but capables de l'intercepter. Le cube de métal frappa le loup-garou entre les deux yeux avec une violence qui aurait suffi à étendre n'importe qui. Le monstre se contenta de tituber.

À peine.

Natan s'élança. Il ne songeait plus qu'à fuir.

Un hurlement s'éleva derrière lui, sauvage et effrayant, puis un bruit de course plus effrayant encore. Natan s'engouffra dans les escaliers qui conduisaient à l'étage, le loup-garou sur ses talons, et se précipita dans la chambre.

La porte claqua.

Il eut juste le temps de la verrouiller avant que la masse du monstre ne s'y écrase avec un bruit épouvantable. L'épais battant de bois était bien plus solide que la vitre du salon, le monstre ne pouvait pas entrer. Il ne pouvait pas entrer. Il ne pouvait…

Cinq griffes hideuses traversèrent la porte comme si elle avait été de papier. Elles se retirèrent pour frapper derechef, créant une ouverture aussi large qu'une assiette. Natan jeta un regard éperdu autour de lui. Un lit, une commode, une penderie… Rien, absolument rien, ne pouvait être utilisé pour se défendre.

Un nouveau coup ébranla la porte. Encore un ou deux comme celui-là et le monstre serait dans la place.

Par un monumental effort de volonté, Natan se contraignit au calme. Les loups-garous avaient beau ne pas exister, celui-ci voulait sa peau, et il allait l'obtenir. À moins que…

La porte démantelée s'arracha soudain de ses gonds, s'abattit sur le plancher. Le monstre bondit dans la chambre.

7

Shaé passa une main lasse sur son visage.

Elle avait soif. Une soif impossible à apaiser, comme si la moindre cellule de son corps s'était desséchée. Une sensation effroyable qu'elle ressentait chaque fois qu'elle se battait contre la Chose qui vivait en elle. La Chose. Combien de fois l'avait-elle affrontée ? Combien de temps encore pourrait-elle lui tenir tête ? Chaque victoire, plus difficile que la précédente, la laissait épuisée.

Et assoiffée.

Du temps lui avait été nécessaire pour se remettre de sa rencontre avec les quatre voyous.

Non, ce n'était pas ça. Ils ne comptaient pas.

Du temps lui avait été nécessaire pour se remettre de l'effort fourni pour arrêter la transformation et, encore maintenant, elle sentait la Chose palpiter en elle.

La Chose.

Cela ne cesserait donc jamais ?

– T'as un problème ?

La question, murmurée, tira Shaé de ses réflexions. Samia, assise près d'elle, l'observait avec gentillesse. Elles n'étaient pas amies, Shaé n'avait pas d'amis, mais, de toutes les filles de la classe, Samia était la seule pour qui elle ne ressentait pas uniquement de l'indifférence.

– Non, répondit-elle sur le même ton, ça va.

– T'es sûre ? Parce que t'as vraiment une sale tête…

– Ça va, je te dis. J'attends juste que ce maudit cours finisse.

Samia laissa échapper un petit rire.

– Tu crois peut-être que t'es la seule ?

– Samia, s'il te plaît !

La voix de Mme Janon, l'enseignante en techniques sanitaires et sociales, avait claqué, suffisamment menaçante pour que Samia perde toute envie de bavarder.

Shaé se rencogna sur sa chaise. Elle attendait que le cours s'achève, elle attendait que sa soif disparaisse, que la Chose lui fiche la paix, elle attendait que sa vie prenne un sens… Cesserait-elle un jour d'attendre ?

À dix-sept heures, Shaé quitta son lycée emportée par la horde de jeunes qui se pressaient vers la sortie. Elle récupéra son scooter, lança le moteur. Au même instant, elle nota que son réservoir était presque vide et qu'elle n'avait plus d'argent sur elle. Ni ailleurs.

Samia lui avait avancé de quoi payer un plein, et elle avait utilisé ses derniers euros un peu plus tôt pour la rembourser. Elle allait devoir mendier une rallonge à son tuteur qui la lui accorderait s'il était bien luné. Autant dire qu'en cas de panne de carburant, elle était condamnée à marcher jusqu'à la fin du mois.

Juchée sur son engin, elle se glissa sans peine dans le trafic dense. Vitrolles était une ville-dortoir pour de nombreuses personnes travaillant à Marseille, et un lieu de travail pour les nombreuses autres qui habitaient ailleurs. En fin de journée, le chassé-croisé entre ceux qui partaient et ceux qui rentraient chez eux prenait parfois des allures de New York aux heures de pointe. Se déplacer sur un deux-roues était de loin la meilleure solution, pour peu qu'on parvienne à ne pas se le faire piquer.

Elle arrivait à l'entrée de sa cité lorsque son scooter se mit à tousser. Il roula encore sur une dizaine de mètres puis cala et refusa de redémarrer. Shaé descendit, balança un coup de pied rageur dans la roue avant. Elle repoussa la mèche noire qui lui barrait le visage et s'assit pesamment sur la murette bordant le trottoir. Elle était épuisée à tel point que les couleurs autour d'elle se fondaient dans un gris brumeux et que les bruits de la ville lui parvenaient comme au travers d'un tampon de ouate.

La soif ne l'avait pas quittée.

Pendant une folle seconde, elle se vit se lever, jeter son sac de classe dans le caniveau et partir. Droit devant. Ailleurs, où que ce soit, ne pouvait être pire qu'ici. Puis la fatigue la rattrapa et elle soupira. Elle avait souvent fait ce rêve de tout abandonner pour une vie d'aventure, elle n'avait jamais eu le courage de le réaliser.

Elle était pourtant persuadée que personne ne la regretterait. Ses tuteurs n'étaient pour elle que des gardiens aux motivations obscures. Ils l'avaient recueillie – eux seuls savaient pourquoi – après que ses parents avaient disparu dans cet accident dont nul n'avait voulu lui parler. Leurs relations, de difficiles, étaient devenues peu à peu conflictuelles, et elle avait conscience qu'ils attendaient avec impatience sa majorité et son départ. Pas de parents, pas d'amis, pas de projets, la Chose, la soif… Cela faisait beaucoup pour une seule fille, non ?

– C'est sûr, mais, d'un autre côté, tu es sacrément solide.

– Quoi ? Qu'est-ce que vous avez dit ?

Shaé contemplait avec stupeur l'homme assis près d'elle. Elle ne l'avait pas vu arriver ni s'installer. Un vieil Arabe en costume traditionnel, djellaba blanche et chéchia, le teint buriné et les yeux d'un bleu aussi profond qu'un lac de montagne. Le bleu des Berbères.

– C'est à moi que vous parlez ? insista Shaé.

L'homme acquiesça d'un hochement de tête, un sourire doux planant sur ses lèvres.

– Et qu'est-ce que vous avez dit ?

Le cœur de Shaé battait la chamade. Avait-elle entendu ce vieux bonhomme répondre à une question qu'elle n'avait pas formulée à voix haute ?

– Je dis qu'il fait chaud pour la saison et que tu dois avoir soif, jeune fille.

Shaé sentit un long frisson d'inquiétude parcourir son dos. Novembre était là. Il ne faisait pas chaud. Pas chaud du tout. À quelle soif ce type faisait-il allusion ?

– Je…

Il posa la main sur son épaule. Un geste plein de douceur et de respect. Alors qu'elle ne supportait pas que quiconque la touche, elle resta immobile et se tut.

– La lutte donne soif, reprit-il. Une soif qu'aucune boisson ne sait étancher. La soif du combattant. Réalises-tu, toi qui as soif, que rien ne t'oblige à lutter ? Tu peux aussi tenter de comprendre.

Par un effort de volonté, Shaé se dégagea de l'emprise de la main et de celle du regard bleu océan.

– Je ne pige rien à vos histoires, jeta-t-elle d'une voix agressive.

Le vieux Berbère se leva avec la souplesse d'un adolescent. Il n'avait pas cessé de sourire.

– La compréhension est un chemin bien plus riche que le combat, ajouta-t-il avant de se détourner et de s'éloigner à pas lents. Ne te trompe pas de route.

Shaé le suivit des yeux jusqu'à ce qu'il ait tourné le coin de la rue.

– Complètement cinglé, marmonna-t-elle.

Puis elle se leva à son tour, empoigna son scooter et entreprit de le pousser jusqu'à l'immeuble où elle habitait.

Elle avait beau tenter de les oublier, les paroles du vieil homme l'avaient perturbée. Elle ne l'avait jamais vu dans le quartier alors qu'il semblait la connaître depuis toujours, et ses mots, ses sous-entendus… Était-il vraiment fou ?

Au moment d'ouvrir la porte de son appartement, elle prit conscience que sa soif avait disparu.

8

La gueule du loup-garou, garnie de crocs monstrueux, ruisselante de bave, et ses griffes acérées étaient autant d'effrayantes promesses de mort. Parfaite machine à tuer, il observa un bref instant la proie qui se tenait devant lui, immobile, bras ballants, genoux fléchis, puis il se rua en avant.

Natan se mit en mouvement à l'ultime seconde. Il feinta à droite et, lorsque le loup-garou fut sur lui, il se jeta à gauche en effaçant les épaules. Une technique qu'il avait utilisée à de nombreuses reprises sur les terrains de rugby et qui avait leurré bien des adversaires.

Le loup-garou s'y trompa aussi.

Ses bras musculeux se refermèrent sur du vide et Natan frappa. Un coup de coude parfaitement ajusté qui percuta les côtes du monstre et lui fit perdre l'équilibre. Natan se précipita à l'extérieur de la chambre.

Il bondit par-dessus la balustrade, se reçut souplement sur ses pieds et fila vers la baie vitrée. Il passait sur le balcon lorsque le loup-garou apparut à la porte de la chambre. Il semblait sonné et Natan ne put retenir un sourire hargneux. Son père n'avait jamais voulu qu'il pratique un art martial, mais il savait depuis longtemps où frapper et comment faire mal.

À cet instant précis, il prit conscience de sa complète absence de peur.

Un monstre sorti tout droit des légendes les plus obscures en voulait à sa vie, et son cœur ne daignait même pas accélérer. Mieux, une énergie formidable coulait dans ses veines, distillant une confiance inébranlable. Il était de la Famille. Les membres de la Famille ne craignaient pas les loups-garous !

– Approche si tu l'oses ! hurla-t-il. Je n'en ai pas fini avec toi !

Le monstre sauta dans le salon et fondit sur lui.

Natan tourna les talons.

Ignorant la vitesse de son adversaire, il dévala à toutes jambes le sentier qui descendait vers le lac. Il jeta un regard en arrière et fut rassuré de voir que le loup-garou, bien que rapide, ne parvenait pas à le rattraper. Il pouvait mettre son plan en application. Il bifurqua avant d'atteindre le ponton et s'engagea sur une piste qui remontait vers le piton rocheux.

Il courait à grandes foulées efficaces, heureux que la pleine lune et la neige lui permettent de se repérer sans hésitation. Le souffle du loup-garou se faisait entendre à moins de cinq mètres, pourtant Natan n'avait toujours pas peur.

« Les Lycanthropes meurent lorsqu'ils sont atteints par une balle d'argent… »

La phrase avait fusé de la nuit. Natan vacilla, perdit deux précieux mètres, se reprit, accéléra. Qu'est-ce que…

« Les armes conventionnelles sont sans effet sur eux. »

Natan lança un coup d'œil rapide autour de lui. Si quelqu'un se tenait embusqué dans les fourrés, pourquoi ne lui venait-il pas en aide ? Devait-il appeler au secours ? Les mots retentirent à nouveau avant qu'il ait pris une décision.

« Les armes conventionnelles sont sans effet sur eux ! »

En un éclair, Natan comprit. Il n'avait pas rêvé, il avait bel et bien entendu une voix.

En lui !

Comme si cette révélation ouvrait une vanne dans son esprit, un flot de connaissances inattendues jaillit d'une zone inconnue de sa mémoire.

« Les Lycanthropes, appelés souvent à tort loups-garous, ne sont pas des humains victimes d'une quelconque malédiction, mais les membres d'une race très ancienne ayant le don de changer de forme. Ils peuvent ainsi être hommes, loups ou hommes-loups. Ils hantent les cités désertes de la Fausse Arcadie et les forêts sombres de Mésopée, où ils se nourrissent de la chair des voyageurs égarés. On n'abat un Lycanthrope qu'à l'aide d'une lame ou d'une balle d'argent. Les armes conventionnelles sont sans effet sur eux. »

Un grondement féroce le ramena à la réalité. Le loup-garou gagnait du terrain.

Natan eut soudain peur de s'être égaré. Il scruta le sol. S'il avait perdu la piste, il était fichu. À son grand soulagement, il repéra très vite les empreintes. Les mâchoires du Lycanthrope se refermèrent avec un claquement sinistre dans son dos. Natan accéléra jusqu'à ce qu'il lui ait repris deux mètres, puis il calqua son allure sur celle du monstre. Il ne voulait pas le semer.

Il voulait le détruire.

Les traces que suivait Natan bifurquèrent dans le sous-bois, et l'écart se réduisit. Maintenir son avance dans l'obscurité, sur un sentier étroit enneigé et envahi de buissons, n'était pas chose aisée, et il se demanda s'il n'avait pas péché par excès de confiance. Comme pour lui donner raison, le loup-garou se jeta en avant et porta un coup puissant. Sa main griffue déchiqueta la parka de Natan, passant à un millimètre de sa colonne vertébrale.

Natan cracha un juron étouffé, en tentant vainement d'augmenter sa vitesse.

Il déboucha soudain dans une clairière que la pleine lune nimbait d'une lueur argentée fantomatique. Un immense rocher couvert de neige se dressait en son centre.

L'ours se tenait là, plus gros encore que Natan ne l'avait imaginé. Une montagne de fourrure et de muscles.

En entendant les deux intrus se précipiter dans sa direction, l'animal fit volte-face avec une vélocité sidérante et se leva sur ses pattes arrière.

Déjà Natan était sur lui.

L'ours poussa un grognement sauvage. Une mise en garde qu'aucun être vivant soucieux de sa survie ne devait ignorer. Natan plongea à plat ventre dans la neige et ne bougea plus. Le Lycanthrope, qui arrivait derrière lui, percuta l'ours de plein fouet.

À cet instant précis, rien n'était joué. Le Lycanthrope pouvait reculer, s'enfuir ou, comme Natan, se soumettre.

Il choisit d'attaquer.

Ses mâchoires se refermèrent sur l'épaule du plantigrade, cherchant la grosse artère à la base du cou qui, une fois cisaillée, lui offrirait la victoire…

La patte de l'ours le cueillit sous le menton, lui arrachant à moitié la tête.

Le Lycanthrope n'eut pas le loisir de s'effondrer. Le seigneur de la forêt, déchaîné, le projeta en l'air, le rattrapa comme s'il s'était agi d'une poupée de chiffon et entreprit de le mettre en pièces. Lorsqu'il eut fini, il ne restait du Lycanthrope qu'une bouillie informe éparpillée sur dix mètres à la ronde.

Natan s'éloigna avec prudence, d'abord en rampant, puis à quatre pattes. Il ne se redressa qu'en atteignant les arbres. Il contempla un moment l'ahurissante scène de carnage avant d'inspirer profondément. À pas mesurés, il repartit vers le chalet.

Une des pensées, parmi la multitude qui s'entrechoquaient dans son esprit, prit du relief, se précisa jusqu'à devenir une certitude.

Limpide.

Réjouissante.

Un ours n'est pas une arme conventionnelle !

9

Le cube holographique ne fonctionnait plus. Compte tenu du choc qu'il avait subi cela n'était pas surprenant, pourtant Natan ne put maîtriser un mouvement d'humeur. Il avait espéré reprendre la lecture de l'enregistrement là où elle avait été interrompue. Si son père avait prévu de lui communiquer d'autres renseignements, il n'avait désormais plus aucun moyen de les obtenir.

Alors qu'il cherchait vainement dans les placards une parka susceptible de remplacer la sienne, une chape de fatigue lourde comme du plomb s'abattit sur ses épaules. Il étouffa un bâillement et consulta sa montre. Sept heures du matin ! Le jour se lèverait bientôt, et il n'avait dormi que deux petites heures avant que… avant que sa vie ne bascule.

La mort de ses parents dans une explosion criminelle, les messages aussi sibyllins qu'inquiétants de son père, son appartenance à une mystérieuse Famille, l'attaque d'une créature censée ne pas exister… cela justifiait largement qu'il s'effondre. Pourtant la peur ne l'envahissait toujours pas et, bien que harassé, il tenait debout sans trop de difficultés.

Il envisagea un court instant de prendre le repos dont il avait besoin avant de partir, mais la pensée qu'un autre Lycanthrope pût surgir l'en dissuada. Inutile d'être devin pour comprendre que l'apparition de ce monstre était liée à l'attentat qui avait coûté la vie à ses parents. Il était en danger et il ne pourrait pas toujours compter sur un ours pour le tirer d'affaire. Il devait suivre les consignes de son père, prendre l'avion, fuir le Québec pour la France. Au plus vite.

Refusant de céder à sa lassitude, il quitta le chalet.

Traverser le lac en canoë faillit se révéler une épreuve au-dessus de ses forces, mais une fois de plus sa formidable volonté lui permit de se surpasser. Arc-bouté sur sa pagaie, il songea justement à cette volonté. Cette volonté qui, si souvent, avait stupéfié son entourage. Il y réfléchit avec toute l'objectivité dont il était capable.

Sa volonté.

Sa volonté qui le démarquait des jeunes de son âge comme l'en démarquaient ses capacités physiques et intellectuelles, affûtées au fil des ans par l'éducation que lui avaient prodiguée ses parents.

Sa volonté.

Était-elle la marque de cette fameuse et mystérieuse Famille à laquelle il appartenait ? Ses parents et surtout son père, il s'en rendait compte à présent, n'avaient jamais cessé de le préparer à y prendre place et l'avaient en outre rendu capable d'affronter n'importe quelle situation. Dont celle qu'il venait de vivre. Ils avaient veillé à ce qu'il soit prêt et il avait survécu. Il jugula la vague de chagrin qui déferlait sur lui. Il avait survécu et il continuerait à vivre. Pour eux.

Sa voiture retrouvée, il roula à petite vitesse jusqu'à Shawinigan tandis que le soleil naissant faisait étinceler les cristaux de neige et le givre que la nuit avait déposés sur les toits. Quand la fatigue fut trop grande, il gara la Pontiac sur le parking d'un supermarché et se lova tant bien que mal sur la banquette arrière. Il doutait qu'un Lycanthrope le déniche là et, de toute façon, il était trop épuisé pour chercher un autre endroit où se reposer.

Il s'endormit instantanément.

Natan se réveilla un peu avant midi, hébété, ne sachant plus où il se trouvait. La réalité mit un long moment à se frayer un passage au travers de sa conscience embrumée. Lorsque enfin il fut d'aplomb, il sortit de la voiture pour s'étirer. La mort de ses parents frappa alors sa conscience.

Fort.

Sonné, il dut s'appuyer à la portière de la Pontiac pour attendre que les battements de son cœur s'espacent, que sa respiration se calme.

Lorsqu'il eut repris le contrôle de son corps et de son esprit, il se dirigea vers le supermarché. Il acheta un petit sac de voyage, un nécessaire de toilette et quelques vêtements de rechange puis il s'isola dans les toilettes, se lava et se changea, s'efforçant de se donner une apparence présentable. La nuit qu'il avait vécue avait toutefois marqué son visage, ses traits étaient tirés et des cernes bleuâtres s'étendaient sous ses yeux.

Il reprit la route vers Montréal et l'aéroport Trudeau. Il n'était pas certain d'obtenir une place sur un vol à destination de Marseille, mais cette incertitude, loin de l'inquiéter, distillait en lui une adrénaline salutaire et, peu à peu, il se sentit mieux.

Il sortit de l'autoroute pour gagner les rues de Ville Mont-Royal. Impossible de quitter le Canada sans jeter un dernier regard à sa maison. Ou à ce qu'il en restait.

La rue était fermée par une barrière métallique et des policiers en uniforme tentaient de garder à distance les badauds qui se pressaient vers les lieux du drame. Deux camionnettes de télévision étaient sur place, et des dizaines de reporters s'affairaient à prendre des photos et à interviewer policiers et voisins. Une activité bourdonnante que le quartier, calme et huppé, n'avait jamais dû connaître.

Natan cherchait une place où se garer lorsqu'il aperçut deux hommes en costume noir qui, debout près d'une haie, scrutaient la foule. Il reconnut leurs chapeaux et les lunettes de soleil qui leur mangeaient le visage. Il s'agissait des types qui l'avaient suivi la veille. Leur présence signifiait-elle que…

« Les Helbrumes vivent dans les confins de Mésopée. Dépourvus de forme et d'âme, ils prennent corps par la force du Pouvoir. Voués au mal et à l'obéissance servile, ils sont les serviteurs des causes noires. Dans la hiérarchie de l'ombre, ils sont la lie, les laquais. »

Comme la nuit précédente, le savoir avait surgi sans avertissement dans son esprit. Cette fois-ci, Natan ne sursauta pas, ne se posa pas la moindre question. En un éclair, il intégra cette connaissance. Les hommes en costume n'étaient pas des humains, c'étaient des Helbrumes. Et ils le cherchaient !

Il se rencogna dans son siège et tourna à gauche. Sans se presser, pour ne pas se faire remarquer. Puis, lorsqu'il fut hors de vue, il accéléra en direction de l'aéroport.

Des Helbrumes.

Il n'avait jamais entendu parler de pareilles créatures, pourtant pas une seconde il ne douta de leur nature. La définition qui avait fusé dans son esprit n'était pas une hypothèse ou un délire. C'était une certitude.

Un Lycanthrope, des Helbrumes… Natan eut soudain le sentiment que sa vie avait dérapé et qu'il arpentait à présent des territoires inconnus. Était-ce cela, appartenir à la Famille ?

Il y avait un vol pour Marseille en fin de journée. Natan obtint une place sans difficulté, s'attirant juste une remarque surprise mais cordiale de l'employée d'Air France lorsqu'il paya son billet en liquide. Il passa les cinq heures qui lui restaient avant le décollage à déambuler dans l'aéroport et à feuilleter les journaux qui relataient la mystérieuse explosion survenue la nuit précédente.

Aucun ne possédait d'explication plausible et tous brodaient à qui mieux mieux sur les événements. Si la plupart évoquaient trois morts, un seul journal citait le nom de ses parents suivi du sien, ce qui le fit frissonner. Il était vivant et avait la ferme intention de le rester.

Franchir la douane ne fut qu'une formalité et son passeport n'attira pas la moindre attention. Des faux papiers. Son père lui avait procuré de faux papiers. Quelques jours plus tôt, cela aurait plongé Natan dans une absolue stupéfaction. Ce n'était désormais qu'un simple détail.

L'hôtesse demanda aux passagers d'éteindre leur téléphone portable. Natan obtempéra. Il avait été plusieurs fois tenté d'appeler le numéro caché dans le cube holographique, mais le message de son père était clair : il devait attendre d'être en France ! Il s'installa donc le mieux possible, s'efforçant de trouver dans sa mémoire l'endroit où étaient stockées les informations sur les Lycanthropes et les Helbrumes. Malgré tous ses efforts, il ne découvrit rien.

Doucement, ses yeux se fermèrent. Il bascula dans la léthargie puis dans un sommeil sans rêves.

10

– Non, tu n'auras pas un euro ! Tu crois peut-être que l'argent arrive par enchantement dans mon portefeuille ?

Shaé jeta un regard noir à son tuteur. Loin d'être impressionné, celui-ci lui renvoya un rictus mauvais.

– Estime-toi heureuse de ce que nous t'offrons alors que tu ne le mérites pas, et arrête de tirer sur la corde ou elle risque de craquer plus tôt que prévu. Si tu veux de l'argent, tu n'as qu'à bosser !

Il était huit heures, largement temps de partir au lycée puisque son scooter était à sec et que son tuteur refusait de lui avancer de quoi payer un plein. Mais quelque chose dans l'expression torve de l'homme qui lui faisait face la retint. Il prenait un plaisir évident à la rabaisser, s'arrogeant sans vergogne le rôle du bon Samaritain et lui attribuant celui de la prédélinquante incontrôlable.

Bosser ? Il osait prononcer ce mot alors qu'il ne fichait rien de ses journées, supervisant des trafics louches dans les cités et vivant aux crochets de sa femme ?

Elle aurait aimé lui rabattre son caquet d'une remarque dévastatrice et impitoyable, mais elle n'avait jamais su manier les mots. Elle resta muette.

Ses yeux, en revanche, savaient parler. Et ils parlèrent. Un message dur et froid, porteur d'un tel mépris que l'homme qui lui faisait face blêmit et recula d'un pas comme si elle l'avait frappé au visage.

Avant qu'il se soit repris, elle ouvrit la porte d'une main que la tension faisait trembler et s'engouffra dans les escaliers.

– Shaé ! Viens ici !

Aucune réponse.

– Shaé, c'est un ordre !

Elle avait déjà atteint le rez-de-chaussée et se préparait à sortir de l'immeuble. Elle se figea une seconde puis secoua la tête, raffermit sa prise sur son sac de classe et, refusant de songer à l'accueil que lui réserverait son tuteur à son retour, se mit en route.

Elle était en retard, son prof d'éco allait lui refuser l'entrée en cours, le CPE lui demander des explications et, comme ce n'était pas la première fois, elle devrait négocier pour s'en sortir. Parler, encore parler !

– Je peux te déposer, si tu es pressée.

Shaé tourna la tête. Le vieil homme qui l'avait abordée la veille venait de s'arrêter à sa hauteur. Il conduisait un vieux break dont il avait baissé la vitre côté passager pour lui adresser la parole. Shaé hésita une courte seconde. Ne pas monter en voiture avec un inconnu, c'était le b.a.-ba de la fille qui voulait éviter les ennuis, mais elle était vraiment en retard, et le sourire de cet homme dégageait des ondes rassurantes qui ne trompaient pas. Ce n'était pas un pervers.

Elle hocha la tête, ouvrit la portière et se glissa dans le break.

– Je vais au…

– Je sais où tu vas, jeune fille, l'interrompit-il.
– Vous…
– Je connais bien des routes, et la tienne m'est familière. Ne crains rien.

Shaé, interloquée, se tut et l'observa. Il ne portait plus de djellaba, mais un jean et un pull de laine bleu qui faisait ressortir l'azur de ses yeux. Son visage serein était sillonné d'une multitude de rides et ses cheveux très courts étaient presque entièrement blancs, pourtant elle était incapable de lui donner un âge. Vieux, d'accord, mais était-ce soixante ans ou quatre-vingts ? Et cette manie de prononcer des sentences incompréhensibles comme autant d'allusions éclairées… N'était-ce pas le signe d'un début de sénilité ?

– Parfois j'aimerais être sénile, poursuivit le vieil homme. Cesser de guider les gens. M'asseoir et oublier. Ce n'est pas ma voie…

Un éclair de lucidité traversa l'esprit de Shaé : ce type lisait dans ses pensées. Comment expliquer autrement que, pour la deuxième fois, il ait répondu à une question qu'elle n'avait pas posée à haute voix ?

Elle se reprit aussitôt. La télépathie n'existait pas, il s'agissait d'une simple coïncidence.

Le break, conduit d'une main sûre, s'était inséré sans difficultés dans le trafic et roulait à bonne allure sur le boulevard Padovani en direction des quartiers Est. Pendant un moment le silence régna dans la voiture. Shaé sentit une vague de bien-être l'envahir. Elle était détendue. Paisible.

Elle qui ne se liait qu'à grand-peine et toujours de manière éphémère eut tout à coup envie de parler, de savoir.

– Comment vous appelez-vous ? Je ne vous ai jamais vu dans mon quartier.

– Mon nom est Rafi Hâdy Mamnoun Abdul-Salâm, mais la plupart des personnes qui me connaissent préfèrent m'appeler Rafi. Je n'ai jamais compris pourquoi.

La remarque, prononcée sur un ton candide, tira un rire bref à Shaé.

– Et que faites-vous dans le coin, monsieur Rafi ?

– Rafi suffira ou alors ce n'est pas la peine de raccourcir le reste.

– D'accord. Moi, je m'appelle…

– Shaé.

La sérénité de Shaé vola en éclats.

– Comment le savez-vous ?

Rafi, impassible, se contenta de sourire. Shaé jeta un coup d'œil par la fenêtre et une pointe d'inquiétude vrilla son ventre. Ils avaient quitté le boulevard Padovani pour passer sous l'autoroute et pénétraient dans la zone industrielle de l'Anjoly.

– Ce n'est pas la bonne route ! s'exclama-t-elle.

Rafi ne lui accorda pas un regard.

L'inquiétude dans le ventre de Shaé commença à dérouler ses filaments autonomes, prenant le pas sur la raison et la norme. La Chose s'agita. Pas encore réveillée, mais plus tout à fait endormie.

Shaé posa la main sur la poignée. Sauter en marche était périlleux pourtant… Rafi ralentit, mit son clignotant et s'engagea sur le parking désert d'un entrepôt désaffecté.

– Que faites-vous ? balbutia Shaé en tentant de conserver son sang-froid. Je…

Rafi s'arrêta et tourna vers elle ses yeux bleus. Contre toute attente, Shaé y discerna une flamme tranquille et non la lueur de folie qu'elle redoutait.

– Tu es arrivée, annonça-t-il d'une voix douce.

– Mais…

– Descends !

La voix était toujours douce, mais l'ordre sans appel.

Shaé sortit de la voiture. Une rafale de mistral glacial la fit chanceler. Rafi se pencha pour refermer la portière et, sans lui accorder un regard, enclencha une vitesse. Le break s'éloigna à faible allure et disparut.

Shaé écarta de son visage une longue mèche noire que le vent avait déplacée. Elle avait la sensation de vivre un rêve. Tout était trop étrange. Rafi. Ce parking. Le silence surnaturel qui y régnait…

Un aboiement féroce la ramena à la réalité. Elle se retourna.

Quatre silhouettes avançaient dans sa direction, l'une d'entre elles tenant en laisse un chien énorme aux babines écumantes.

« Un rottweiler, songea-t-elle, et même pas muselé… »

Puis elle reconnut le visage balafré de son maître. Un frisson d'appréhension parcourut son dos.

– Tiens, tiens, ricana le nouvel arrivant, comme on se retrouve…

11

Natan se réveilla alors que l'avion amorçait sa descente sur Roissy Charles-de-Gaulle. Une hôtesse, jeune et souriante, se pencha vers lui.

– On ne peut pas dire que vous soyez un passager remuant. J'ai rarement vu quelqu'un dormir ainsi du décollage jusqu'à l'arrivée.

– J'avais du sommeil en retard, expliqua Natan en lissant ses vêtements chiffonnés du plat de la main.

– C'est ce que j'ai cru comprendre. Le chariot du dernier service est passé, mais je peux vous apporter un café et un croissant si vous en avez envie.

Natan lui rendit son sourire.

– Volontiers. Quelle heure est-il ?

– Six heures cinq, heure française. L'atterrissage est prévu dans vingt minutes.

Natan but son café en réfléchissant. Il ignorait qui décrocherait lorsqu'il appellerait. Le reconnaîtrait-on dans l'instant ou devrait-il batailler pour prouver son identité ? Son correspondant serait-il disposé à l'aider tout de suite ou devrait-il attendre ? Serait-il en relation avec un membre de la Famille ou avec un intermédiaire ?

Lorsque l'avion atterrit, Natan n'avait aucune réponse à ses questions et qu'une envie : téléphoner sur-le-champ. Son père lui avait toutefois demandé de gagner Marseille avant d'appeler, et il n'avait que vingt minutes pour attraper sa correspondance. Il se contint donc et embarqua dans un nouvel appareil.

La petite heure que dura le vol intérieur lui parut une éternité. Quand enfin l'avion se posa sur l'aéroport Marseille Provence, Natan se précipita à l'extérieur en s'attirant les regards désapprobateurs des autres passagers. Courant presque, il gagna le hall d'arrivée et sortit son téléphone.

Il composait le numéro lorsqu'un homme portant une lourde valise le heurta de l'épaule. Sous le choc, le téléphone lui échappa des mains et tomba au sol. Natan n'eut pas le temps de se baisser pour le ramasser. Le fragile appareil explosa sous l'impact de la valise que l'homme, surpris, venait de lâcher.

– Je suis désolé ! s'exclama l'inconnu. Vous êtes blessé ?

Les yeux fixés sur les débris de son téléphone, Natan répondit par un grognement hargneux. Si le type qui l'avait bousculé avait été moins vieux et moins mortifié, il l'aurait volontiers agoni d'injures. Quel imbécile maladroit !

– Je suis impardonnable, reprit le vieil homme. Je vais vous dédommager.

– C'est bon, ronchonna Natan, ce n'est pas votre faute. Votre valise est tombée au mauvais endroit, c'est tout.

– Écoutez, insista le voyageur, je dirige une société qui commercialise des téléphones portables, et nos bureaux sont juste à côté de l'aéroport. Vous m'honoreriez en me laissant vous offrir un appareil neuf en compensation du dommage que je vous ai causé.

Natan l'observa avec une attention accrue.

L'homme, âgé d'une bonne soixantaine d'années, avait une peau basanée qui faisait ressortir le bleu surprenant de ses yeux. Ses cheveux presque ras étaient blancs et il était vêtu d'un élégant costume sombre. Il pouvait parfaitement être celui qu'il prétendait.

En d'autres circonstances, Natan aurait accepté la proposition mais il était pressé et, surtout, il venait d'apercevoir une cabine téléphonique à quelques mètres.

– Je vous remercie, ce ne sera pas nécessaire.

– Permettez-moi d'insister.

Le vieil homme avait posé sa main sur le bras de Natan et celui-ci sentit tout à coup une paix formidable l'envahir. Une sensation identique à celle qu'il avait ressentie lors d'un bref séjour à Tokyo quand un masseur s'était occupé de son dos bloqué à la suite d'un faux mouvement.

– Je suis pressé, répondit-il toutefois. Je dois refuser.

– Cela ne vous prendra que dix minutes. Pas une de plus.

Natan hésita. Il n'était pas réellement pressé, dans sa situation un téléphone était indispensable, et les yeux bleus de l'inconnu dégageaient une telle persuasion…

– D'accord.

Ils quittèrent le hall principal alors qu'un avion en provenance du Brésil amorçait sa descente. À son bord, João Bousca, ancien guide de l'expédition Sappati, contemplait le sol français, une lueur sombre dans ses yeux étranges.

La voiture, une imposante limousine noire, attendait devant la porte principale, garée sur un emplacement interdit. Étrangement, aucun des CRS qui montaient la garde devant l'aéroport ne lui prêtait la moindre attention. Natan s'attendait à découvrir un chauffeur, casquette à la main, debout à côté du véhicule, mais il n'en fut rien. Le vieil homme aux yeux bleus, après avoir déposé sa valise dans le coffre, se glissa derrière le volant. Il lança le moteur et jeta un coup d'œil inquiet à sa montre.

– Bien des choses se jouent à la minute près, expliqua-t-il à Natan qui s'asseyait à côté de lui, et un guide se doit d'être ponctuel. Vois-tu, certains chemins sont éphémères, et pourtant ils sont les seuls à conduire le voyageur à destination.

Natan leva les sourcils. Que signifiait ce charabia ? Il n'eut pas le temps de s'interroger davantage ni même de relever le tutoiement. Le vieil homme écrasa l'accélérateur, la limousine bondit en avant, et, moteur rugissant, ils foncèrent vers la sortie.

Ce fut un miracle s'ils ne s'encastrèrent pas sous un camion, ne percutèrent aucun piéton, et s'ils évitèrent tous les véhicules qui semblaient voués à les emboutir.

Ils quittèrent l'aéroport à près de cent kilomètres-heure, s'insérant dans le trafic en contraignant une dizaine de voitures à freiner d'urgence. Au terme d'un gymkhana capable de donner la nausée à un pilote de course, le vieil homme ralentit enfin et tourna un visage réjoui vers Natan cramponné à sa ceinture.

– C'est bon, nous sommes dans les temps.

– Vous... vous conduisez toujours comme ça ?

– Uniquement quand je suis pressé, foi de Rafi Hâdy Mamnoun Abdul-Salâm.

– Foi de qui ?

– Rafi Hâdy Mamnoun Abdul-Salâm. C'est mon nom, mais les gens qui me connaissent préfèrent m'appeler Rafi. Je n'ai jamais compris pourquoi...

Malgré la nausée qui tardait à se dissiper, Natan sourit. Ce Rafi lui plaisait, même s'il conduisait comme un inconscient. Peu après, ils quittèrent la route principale pour pénétrer dans une zone industrielle déserte.

Rafi roulait désormais au pas. Par la fenêtre, Natan détaillait la succession de hangars construits le long d'avenues parfaitement rectilignes. Paysage monotone et peu engageant. Un mouvement à droite attira son attention. Sur un parking près d'un entrepôt, une jeune fille aux longs cheveux noirs se trouvait aux prises avec quatre brutes dont les intentions étaient évidentes. Elle paraissait en très mauvaise posture.

– Arrêtez-vous ! cria Natan avant de s'apercevoir que la voiture n'avançait plus.

La jeune fille venait de s'effondrer.

– Il faut l'aider ! poursuivit Natan en saisissant le bras de Rafi.

– Impossible, jeune homme. Je suis non-violent.

– Quoi ?

Rafi planta ses yeux bleus dans ceux de Natan. Dans son regard se lisait une sagesse infinie. Teintée d'une tristesse aussi profonde.

– Mais toi tu ne l'es pas encore. Va, mon garçon, tu es à l'heure.

Natan n'entendit pas la fin de la phrase. Il avait jailli de la voiture et traversait le parking comme une flèche.

– Sois fort, Natan, ton chemin sera long et périlleux.

La grosse limousine s'éloigna lentement.

12

Le balafré et son chien étaient accompagnés de trois jeunes qui n'avaient rien à voir avec ceux de la veille. Âgés d'une vingtaine d'années, le visage obtus et le regard mauvais, ils donnaient l'impression d'être ce qu'ils étaient : des truands.

– C'est la meuf dont tu nous as parlé, Eddy ? demanda l'un d'eux, un grand sec au crâne rasé.

– Ouais, répondit le balafré, c'est elle.

– Celle qui a les mains bizarres ?

– Ouais.

Les quatre jeunes se tenaient devant Shaé et la dévisageaient avec morgue.

– Elle est pas mal pour un monstre, jugea Crâne Rasé en s'approchant d'elle.

– Méfie-toi, elle a failli me défigurer.

Aucune véritable peur ne coulait dans les veines de Shaé. Elle avait le sentiment d'avoir été trahie par Rafi, même si elle le connaissait à peine, et cette déception, disproportionnée, étouffait la crainte qu'elle aurait pu éprouver.

– Tu es déjà défiguré, face de rat !

L'insulte avait fusé, pour une fois parfaitement ajustée. Eddy blêmit. Le rottweiler, sentant la tension de son maître, aboya avec rage. Crâne Rasé empoigna Shaé par l'épaule et la secoua.

– Tu surveilles tes paroles si tu ne veux pas que je t'arrache la langue, d'accord ?

Elle se dégagea d'une secousse.

– Ne me touche pas !

Elle avait appuyé son ordre d'un regard dédaigneux qui mit Crâne Rasé hors de lui. Il lui asséna une claque violente qui la projeta à terre.

Shaé se releva comme une furie. Son poing s'écrasa sur le nez de son agresseur avec un bruit qui fit frémir ses amis et qu'elle jugea parfait. Crâne Rasé partit en arrière et tomba sur les fesses, un filet de sang coulant jusqu'à son menton. Ses comparses réagirent avec la rapidité qu'offre l'habitude. Ils bondirent sur elle, tandis qu'Eddy s'efforçait de maîtriser son molosse qui voulait se joindre à la curée.

Shaé sentit la Chose s'éveiller en sursaut dans son ventre.

Et avec la Chose, la peur.

– Non !!! hurla-t-elle.

Puis, du coin de l'œil, elle vit arriver un autre garçon. Bon sang, comment pouvait-on courir aussi vite ?

Une main s'abattit sur Shaé.

Déjà le nouveau venu était là. Il bloqua le coup avec son avant-bras et, dans le même mouvement, faucha les jambes de son adversaire.

– Cours, cria-t-il à Shaé avant d'éviter un poing qui aurait dû l'atteindre en plein visage.

Encore cette rapidité. Ahurissante. Il esquiva deux attaques avec une aisance de danseur et frappa. Une fois. Crâne Rasé qui se relevait retourna au sol et ne bougea plus.

– Cours !

La Chose tressaillit dans le ventre de Shaé. Elle s'élança. Non sans avoir vu l'inconnu bondir à une hauteur impossible et frapper encore.

Natan détendit sa jambe. Son pied percuta l'un des types en plein front. Il retomba souplement sur ses appuis, se baissa, esquiva une attaque maladroite, feinta à gauche…

– Attaque, Killer, réduis-le en bouillie !

Le voyou qui jusqu'à présent s'était tenu à l'écart lâcha son rottweiler.

Natan connaissait ces chiens. Des animaux puissants, élevés pour leur sauvagerie, et censés porter une muselière afin d'éviter les accidents. Censés. Beaucoup étaient dressés pour le combat de façon illicite par des types comme celui-là. Des types qui transformaient des chiens dangereux en de véritables tueurs.

Natan pivota, fléchit ses jambes. Impossible de sortir un ours de sa manche ce coup-ci, et c'était bien dommage. Avec un grognement effrayant, le rottweiler se rua…

… derrière la fille qui tournait l'angle de l'entrepôt.

– Killer, ici ! Killer je t'ai dit de…

Eddy n'acheva pas sa phrase. Le coude de Natan s'enfonça entre ses côtes, lui coupant la respiration et l'envoyant au sol. Le dernier comparse valide contempla la scène, pesa ses chances et choisit la fuite.

Natan ne prit pas le temps de respirer et partit comme un éclair à la poursuite du rottweiler. Il ignorait comment se débarrasser d'un tel monstre, mais s'il n'intervenait pas la fille était fichue. Des bruits d'affrontement s'élevèrent derrière l'entrepôt, puis un hurlement de douleur atroce qui s'éteignit d'un coup. Comme si quelqu'un avait brusquement coupé le son.

Natan poussa un juron et accéléra.

Il tourna à son tour l'angle de l'entrepôt.

Se figea.

La fille était là, roulée en boule, le visage caché entre ses bras. Elle pleurait à grands sanglots silencieux.

Le rottweiler était là lui aussi.

En plusieurs morceaux dispersés dans une vaste mare de sang.

Shaé tressaillit en sentant la main de Natan se poser sur son épaule et se libéra d'un geste brusque. La Chose était toujours présente. Pour une raison inexplicable, elle n'avait pas cherché à garder le contrôle, mais elle était présente. Vigilante et dangereuse. Mortelle.

Shaé savait ce que la Chose avait fait au chien. Impuissante, elle l'avait vue le mettre en pièces dans un déchaînement de violence effroyable. Si elle décidait de faire subir le même sort à…

– Tu es blessée ?

La voix, inquiète, n'était pas celle d'un de ses agresseurs. Shaé se décontracta imperceptiblement. La Chose commença à refluer.

– Tu ne risques plus rien désormais. Ils sont partis.

Shaé ouvrit les yeux, tourna la tête.

Le garçon qui était venu à son secours était arrivé si vite et s'était jeté dans la bagarre avec tant de fougue qu'elle avait douté de sa réalité. Elle en doutait encore un peu. Il était pourtant là, ses yeux verts fixés sur elle, ne prêtant aucune attention au sang et au cadavre du chien. Elle s'assit.

– Tu es blessée ? répéta-t-il.

– Non.

Elle repoussa la mèche qui lui masquait la figure, et Natan sursauta, comme piqué par une flèche invisible. Rien n'était parfait dans le visage de cette fille, pourtant il dégageait une grâce sauvage envoûtante, à commencer par ses yeux, si noirs que leurs pupilles s'y noyaient, parfait miroir de sa chevelure d'ébène.

Un regard de nuit.

Presque aussi fortes, la peau mate, les pommettes hautes et les joues un peu trop creuses, mettant en valeur des lèvres qui…

Natan se força à détourner le regard.

– Tu veux que je t'aide à te lever ?

– Non.

Jolie mais pas bavarde. Comment diable avait-elle pu massacrer ainsi un rottweiler de cinquante kilos ? Elle devait posséder une arme, mais Natan ne voyait pas ce qui, en dehors d'une tronçonneuse ou d'un bazooka, était capable de causer de pareils dégâts.

Shaé esquissa deux pas hésitants vers le parking. Sa gorge desséchée lui faisait mal, et elle éprouvait une envie lancinante de plonger sa tête dans une bassine d'eau, de boire… de boire jusqu'à en mourir. Elle vacilla et Natan, secourable, lui saisit le bras. Elle se dégagea d'un mouvement brusque.

– Excuse-moi, se justifia-t-elle devant l'air étonné de Natan. Je n'aime pas trop… qu'on me touche.

Évitant soigneusement les restes sanguinolents du rottweiler, ils revinrent sur leurs pas. Une fois passé l'angle de l'entrepôt, Natan chercha des yeux la limousine sombre de Rafi.

L'avenue était déserte.

Le vieux bonhomme était peut-être non-violent, il était surtout lâche, et Natan pesta en songeant qu'il aurait pu au moins patienter ou avertir la police.

Des quatre voyous qui avaient agressé Shaé, il ne restait plus qu'Eddy qui ne s'attendait apparemment pas à les voir revenir sains et saufs de leur face-à-face avec Killer. Il resta une seconde figé par la surprise puis, peu désireux d'approfondir sa relation avec Natan, s'éloigna en clopinant vers une voiture garée à proximité. Ses copains avaient de toute évidence fui à pied.

– Ça va aller ? s'enquit Natan. Je veux dire, je peux faire quelque chose pour toi ?

Shaé repoussa une mèche sombre qui barrait son visage.

– Tu as déjà fait beaucoup pour moi. Je vais me… Que se passe-t-il ?

Natan s'était immobilisé, les yeux fixés sur une voiture noire qui s'arrêtait contre le trottoir. Une curieuse prémonition se frayait un chemin dans son esprit. Une prémonition qui devint message :

« Les Helbrumes possèdent un cerveau fruste et sont incapables d'effectuer des projets à long terme. Ils apprennent en revanche très rapidement et cette caractéristique ajoutée à leur don de mimétisme en font de redoutables adversaires. »

Cinq hommes en costume sombre, portant des chapeaux à large bord et des lunettes de soleil, descendirent du véhicule. Natan saisit le bras de Shaé.

– On y va, lança-t-il.

13

Eddy ne comprenait rien.

Tout avait pourtant commencé de manière parfaite.

Et inespérée.

Depuis une semaine la police le surveillait de près, n'attendant qu'un prétexte pour le coffrer. Fréquenter le centre-ville étant devenu trop risqué, il avait décidé de se faire oublier. Il rôdait donc sans but précis sur ce parking désert, en compagnie de ses copains, lorsqu'il avait repéré la fille. Celle à qui il avait juré de faire payer cher l'humiliation de la veille. En la reconnaissant, il avait jubilé. Toute la nuit, il avait ressassé sa colère, sa frustration, et voilà qu'elle se jetait dans ses bras. C'était trop beau pour être vrai.

Ses copains, des durs cette fois, l'avaient aidé à la coincer. Elle ne les avait aperçus qu'au dernier moment, ce qu'Eddy avait presque trouvé dommage. Si elle était partie en courant, il aurait pu lâcher Killer… Puis il s'était repris. La faire massacrer par Killer aurait certes été amusant mais bien trop court.

Puis ce type avait surgi et tout avait foiré.

En quelques secondes et quelques baffes, il s'était débarrassé des trois copains d'Eddy comme s'il s'était agi de gamins sans défense, tandis que Killer, le seul qui aurait pu retourner la situation, ne trouvait rien de mieux à faire que se lancer à la poursuite de la fille.

Eddy s'était ramassé une beigne qui lui avait coupé la respiration, ses potes en avaient profité pour déguerpir, le laissant seul sur le parking.

Il appela Killer.

Sans conviction.

Une voix lui soufflait que, cette fois, le rottweiler était tombé sur plus fort que lui. Comme pour confirmer cette intuition, la fille et le garçon réapparurent sur le parking. Indemnes.

Killer resta invisible.

Eddy jugea plus prudent de s'éloigner. Il clopinait vers sa voiture – ce type avait dû lui casser une côte – lorsqu'un appel retentit dans son dos.

– Attends !

Eddy se retourna. Le garçon qui avait fait fuir ses copains et sans doute massacré Killer courait vers lui. Courait ? Le mot était faible. Galopait ? Fonçait ? Non, il n'y avait pas de mot qui convenait pour qualifier cette vitesse puisque se déplacer aussi vite était impossible. Eddy essaya d'accélérer, mais il avait du mal à respirer et se savait incapable de distancer un type pareil. Un type qui, une seconde plus tard, se planta devant lui en tendant la main d'un air mauvais.

– Tes clefs !

Bon sang, il n'était même pas essoufflé !

Certaines décisions ne méritent pas qu'on y réfléchisse. Eddy donna ses clefs.

Les clefs en main, Natan se désintéressa de leur propriétaire et jeta un coup d'œil derrière lui.

Lorsqu'il lui avait saisi le bras pour l'entraîner, la fille s'était dégagée d'un geste brusque.

– Ne me touche pas ! s'était-elle exclamée.

Il avait désigné les cinq hommes en costume qui s'approchaient. Les cinq Helbrumes.

– Ces types sont dangereux ! Ils me pourchassent et...

– S'ils te pourchassent, c'est toi qui es en danger, pas moi.

Pas de peur dans sa voix, mais une inflexibilité sans faille. En un éclair, Natan avait admis qu'elle avait raison. C'était lui que les Helbrumes voulaient, elle ne risquait rien. Avec l'étrange sentiment de quitter la bonne route, il s'était élancé.

Seul.

Il chercha les Helbrumes des yeux. Pour prendre une avance décisive, il devait leur laisser croire qu'ils pouvaient s'emparer de lui puis monter au dernier moment dans la voiture d'Eddy. Le temps qu'ils regagnent leur propre véhicule, il serait loin.

En les découvrant, Natan poussa un juron. Les Helbrumes arrivaient sur lui. Ils ne couraient pas et paraissaient presque patauds. Il pouvait facilement les semer...

... mais ils n'étaient que trois !

Les deux autres avaient bifurqué, n'accordant aucune importance à Eddy planté au milieu du parking. Leur trajectoire ne laissait aucun doute sur leur cible.

La fille.

Natan jaugea la situation. Il avait beau ne rien comprendre à ce qui se passait, il devait agir.

Shaé se força à expirer avec lenteur.

Lorsque la main du garçon s'était posée sur son bras, elle avait senti la Chose se recroqueviller en elle ! La Chose qui avait massacré le chien, la Chose qui, jour après jour, gagnait en puissance, la Chose qui la terrorisait, s'était recroquevillée sous l'effet d'un simple contact ! Surprise, Shaé s'était dégagée, et elle avait parlé plus durement qu'elle ne l'aurait souhaité.

Le garçon s'était éloigné.

Elle ne savait même pas comment il s'appelait.

Shaé peina à déglutir. Elle avait soif. Si soif. Puis elle remarqua que deux des cinq hommes qui avaient pénétré sur le parking s'approchaient d'elle.

Un frisson lui parcourut le dos et elle recula d'un pas. Les lunettes de soleil et les chapeaux à large bord qu'ils portaient dissimulaient leurs visages, pourtant le peu qu'elle discernait de leurs traits ne lui plaisait pas. Une menace émanait d'eux, une menace étrange comme s'ils n'étaient pas… humains.

Alors qu'un moment plus tôt elle était prête à les affronter, Shaé décida soudain de fuir. Elle n'avait rien à se reprocher mais…

Un bruit de moteur se fit entendre. Shaé tourna la tête. Une voiture fonçait dans sa direction avec, au volant, le garçon qui était venu à son secours.

Au même instant les deux hommes en costume qui marchaient vers elle forcèrent l'allure, tandis que leurs compagnons se précipitaient vers leur véhicule sombre garé un peu plus loin.

Natan pila à la hauteur de Shaé.

Les deux Helbrumes étaient presque sur elle.

– Monte !

Les hommes en costume s'élancèrent pesamment. Les lunettes de l'un d'eux glissèrent et Shaé poussa un cri en découvrant son visage. Parfaitement lisse. Une esquisse de nez, pas de sourcils, pas d'yeux, pas de cheveux…

Elle se jeta dans la voiture à côté de Natan qui redémarra en trombe.

Il ne fallut qu'une seconde aux Helbrumes pour s'engouffrer dans leur propre véhicule. Les portières claquèrent, les pneus crissèrent sur l'asphalte du parking. La grosse voiture noire s'élança à la poursuite des fugitifs.

Caché derrière une haie, un vieil homme aux yeux bleus contemplait la scène. Un sourire énigmatique flottait sur ses lèvres.

14

– Ils nous suivent.

Natan avait parlé d'une voix dure, les yeux fixés sur le rétroviseur. Shaé se retourna. La voiture des types en costume, une Volvo noire massive, avait grignoté son retard et ne se trouvait plus qu'à une cinquantaine de mètres. Natan rétrograda et appuya sauvagement sur l'accélérateur. La petite Clio blanche d'Eddy bondit. Natan doubla le break qui les précédait et se rabattit, évitant de peu un camion qui arrivait dans l'autre sens. Le grognement effrayé de Shaé fut couvert par le mugissement du klaxon du poids lourd.

– Désolé, mais je n'ai pas du tout envie qu'ils nous rattrapent.

– Qu'est-ce qu'ils veulent ? demanda Shaé en se cramponnant à la portière.

– Crois-moi si tu veux, je n'en ai aucune idée.

Natan doubla une autre voiture, passa en cinquième à l'entrée d'une ligne droite. La Clio faisait preuve d'une fougue étonnante. Le compteur gradué jusqu'à deux cent vingt kilomètres-heure confirmait la présence d'un moteur puissant.

– Il faut qu'on les sème, cracha Natan.

– Au prochain rond-point, prends à droite.
– Ça nous conduira où ?
– En ville. Le commissariat est à l'entrée.
– Et si je prends à gauche ?
– C'est l'autoroute. Tu ne veux pas aller au commissariat ?

Natan choisit de répondre en biaisant.

– Nous ne nous sommes même pas présentés. Comment t'appelles-tu ?
– Shaé.
– Moi c'est Natan. Bon, Shaé, j'ignore pourquoi ces types nous poursuivent. Je sais en revanche qu'on les appelle des Helbrumes, qu'ils sont dangereux et qu'ils... comment t'expliquer ?
– Qu'ils ne sont pas humains ?

Natan jeta un bref coup d'œil à sa voisine, mais elle avait parlé sans le regarder, et ses longs cheveux noirs l'empêchaient de discerner l'expression de son visage.

– Pourquoi dis-tu ça ? demanda-t-il sans réussir à masquer sa surprise.
– Les lunettes de l'un d'eux ont glissé tout à l'heure.
– Je vois... Ça ne t'émeut pas plus que ça ?
– J'ai l'habitude des choses anormales.

Nouveau coup d'œil étonné en quête d'un indice.

Nouvel échec.

Natan ouvrit la bouche pour une autre question mais le rond-point était proche et la voiture de leurs poursuivants se rapprochait. Natan fit hurler le moteur de la Clio en rétrogradant, doubla une camionnette qui avait ralenti et s'engagea à plus de quatre-vingts à l'heure dans le giratoire. Si la Clio chassa légèrement, il réussit toutefois à en garder le contrôle. Il prit la voie qui partait à gauche et, très vite, s'engagea sur l'autoroute. Cent mètres derrière eux, les Helbrumes firent de même.

– Tu as des ennuis avec la police ? interrogea Shaé d'une voix dans laquelle il aurait été vain de chercher une émotion.

– Non.

– Voleur ? Dealer ? Trafiquant ?

– Non, je te dis !

– Alors pourquoi tu n'as pas cherché à rejoindre le commissariat ?

Natan hésita. Les consignes de son père étaient claires. Ne parler à personne ! Sauf que son père n'avait certainement pas prévu qu'il se retrouverait à fuir une bande de Helbrumes, sans rien savoir ou presque des Helbrumes, en compagnie d'une fille étrange pour laquelle ces mêmes Helbrumes manifestaient un intérêt inquiétant !

Il tourna à nouveau la tête vers sa passagère. Cette fois-ci, leurs regards se croisèrent. Natan fut happé par la nuit des yeux de Shaé. Au diable son père et ses ordres incompréhensibles…

Il commença à raconter.

De temps à autre, il jetait un coup d'œil dans le rétroviseur. Ils avaient beau rouler à presque deux cents kilomètres-heure, la Volvo les suivait toujours, sans toutefois réussir à gagner du terrain.

Shaé l'écouta sans l'interrompre une seule fois.

– Je suis désolé de t'avoir entraînée dans cette histoire, conclut Natan, mais tu comprends maintenant pourquoi il m'est impossible de demander de l'aide à la police. Je regrette que tu n'aies pas de téléphone, cela nous aurait tiré d'affaire.

Shaé acquiesça d'un signe de tête avant de désigner une bretelle d'autoroute qui approchait.

– Tu devrais sortir là.

– Pourquoi ? s'étonna Natan.

– Parce que, dans moins de dix kilomètres, nous allons tomber sur un péage. Tu devras t'arrêter.

– C'est bon, j'ai compris, répondit Natan d'un ton plus coupant qu'il ne l'aurait voulu.

Malgré lui, il était un peu déçu que Shaé n'ait pas réagi davantage en l'entendant raconter les événements qu'il avait vécus. Comment ne pas manifester la moindre émotion au récit de la destruction de sa maison et de la mort de ses parents ? Comment apprendre que les loups-garous existent et demeurer aussi impassible ?

Obnubilé par ses pensées, il faillit rater le virage de sortie et ne reprit le contrôle de la Clio qu'après avoir mordu la bande d'arrêt d'urgence. La Volvo des Helbrumes toujours derrière eux, Natan et Shaé se retrouvèrent sur une nationale qui s'enfonçait dans l'arrière-pays.

– Je connais le coin, lui annonça-t-elle. Petite, j'y venais souvent.

– Tu crois qu'on peut les semer ?

– Aucune idée. En revanche, je connais quelqu'un qui nous aidera.

– Je t'ai dit que nous ne pouvions demander assistance à personne, s'emporta Natan. Je n'aurais même pas dû te révéler ce que je t'ai révélé.

– Tu préfères que tes Helbrumes nous rattrapent et nous liquident ? Je suppose que si tu les fuis, c'est que tu es incapable de t'en débarrasser comme tu t'es débarrassé des quatre types de tout à l'heure. Je me trompe ? Tourne à droite.

Avec un juron étouffé, Natan obéit.

Shaé sourit. Depuis le moment où elle s'était assise dans cette voiture, pas une seule fois elle n'avait eu peur. Au contraire. Sa vie bougeait enfin. Mieux, les révélations de Natan éclairaient d'un jour nouveau les mystérieuses zones d'ombre qui se cachaient en elle.

Elle prit conscience que, depuis le début de la poursuite, elle ne souffrait plus de la soif.

– À gauche puis, dans cent mètres, encore à gauche.

La nationale avait cédé la place à une petite route déserte qui serpentait au milieu de vignes plantées à flanc de coteau. Difficile de croire qu'ils se trouvaient à moins d'une heure d'un aéroport international et d'une ville comme Marseille qui comptait plus de huit cent mille habitants.

À l'entrée d'une courbe, Natan dépassa une voiture sans bénéficier de la moindre visibilité, croisant les doigts pour qu'une autre ne surgisse pas en face. La Volvo suivit sans marquer d'hésitation.

De nouveau Natan pesta. À tout moment, ils pouvaient être coincés par un tracteur, un camion ou simplement un véhicule peu rapide. Shaé savait-elle vraiment ce qu'elle faisait ?

Comme si elle avait lu dans ses pensées, elle tendit le doigt vers le sommet d'une colline.

– Là-bas.

– Je ne veux demander d'aide à personne !

Natan avait mis toute sa force dans ces mots.

– Tu n'auras rien à demander. Tourne à droite. Maintenant !

La Clio s'engouffra sur un chemin de terre à peine assez large pour son passage, soulevant derrière elle un nuage de poussière et des gerbes de gravillons.

– Où est-ce que…

Natan écrasa la pédale de frein, jetant la voiture dans un impressionnant tête-à-queue qui s'acheva à quelques centimètres d'un mur de pierres sèches.

Le chemin s'arrêtait là.

– On est coincés, haleta-t-il. Qu'est-ce qu'on fait ?

Shaé ouvrit sa portière et bondit à l'extérieur.

– On court !

15

Pourquoi s'était-il imaginé que les Helbrumes étaient incapables de courir ?

Sans doute à cause de leurs costumes d'hommes d'affaires, sans doute aussi parce qu'à Montréal comme un peu plus tôt sur le parking, ils s'étaient déplacés avec maladresse. C'était ridicule. Et faux. Ces types avaient couru pour récupérer leur voiture, ils avaient couru pour coincer Shaé, et maintenant ils couraient pour les rattraper.

Et ils couraient vite.

Natan jeta un regard inquiet sur Shaé qui peinait devant lui. Le sentier montait et, même si elle conservait une bonne allure, il l'entendait souffler comme une forge. Il aurait pu la dépasser sans peine et sans doute semer leurs poursuivants, mais il craignait qu'elle ne craque. Les cinq Helbrumes la rejoindraient alors en moins de dix secondes. S'ils n'avaient pas montré un tel intérêt pour elle lors de leur première attaque, Natan aurait tenté le coup. En l'état des choses, c'était impossible.

Le ciel matinal, lavé par le mistral, était d'un bleu presque violet. Très haut au-dessus de leurs têtes un rapace, peut-être un aigle de Bonelli, planait avec indifférence.

Natan se retourna. Les Helbrumes les talonnaient. Moins de quarante mètres d'écart à présent alors que plus de cent les séparaient lorsque la poursuite avait débuté. Il fallait trouver un moyen de les arrêter ou, au moins, de les ralentir. Sans tarder. Car si Natan, confiant en ses capacités, n'avait pas hésité à se jeter dans la bagarre pour aider Shaé, il ne se faisait pas d'illusions sur l'issue d'un affrontement avec ces adversaires-là.

« Les Helbrumes disposent d'une force sans commune mesure avec leur apparence physique. Le chevalier qui, lors du tournoi de Camelford, a assommé Ban de Benoïc, pourtant réputé pour sa robustesse, était selon toute évidence un Helbrume. Sans l'intervention de Banin et de Bohor, Ban de Benoïc aurait sans doute été mis en pièces. »

La voix avait jailli dans l'esprit de Natan avec tant d'à-propos qu'il ne douta pas un instant de son origine. Il y avait en lui un étonnant réservoir de connaissances, un puits de mémoire insondable. Il ignorait comment y accéder volontairement, mais il ne pouvait mettre en doute la validité des renseignements qui en émanaient de façon sporadique.

Les noms de Bohor, Camelford, Ban de Benoïc ou Banin sonnaient comme ceux de chevaliers celtes, mais là n'était pas la question. Il savait désormais que lutter contre les Helbrumes était une gageure.

– On y est presque, haleta Shaé.

Elle avait montré plus d'assurance qu'elle n'en éprouvait réellement en affirmant à Natan qu'elle pouvait les sortir du pétrin. Elle avait six ans la dernière fois qu'elle avait mis les pieds dans ces vignes. Si Samia, la semaine précédente, ne lui avait pas ravivé la mémoire en lui racontant comment une récente balade avait failli mal tourner, elle ne se serait jamais rappelé le vieux fou. Pourvu que Samia n'ait pas exagéré...

Ses poumons étaient en feu, ses cuisses douloureuses, mais, plus forte que la peur ou la fatigue, une étrange jubilation s'était emparée d'elle. Elle avait le sentiment, mieux, la certitude, d'avoir enfin trouvé son chemin. Et tant pis si ce chemin était une impasse.

Elle porta les doigts à sa bouche et utilisa ses dernières forces à émettre un sifflement strident. Cent mètres devant eux, la porte d'une petite maison de pierre, fondue dans le paysage, s'ouvrit à la volée. Un homme en jaillit en gesticulant. Il brandissait un fusil.

– À terre ! s'écria Shaé avant de plonger entre deux rangées de vigne.

Natan l'imita avec une seconde de retard, et entendit la première balle siffler à ses oreilles.

Une balle, pas des plombs !

La détonation retentit presque aussitôt, suivie du hurlement de rage du vieux bonhomme qui avait tiré.

– Fichez le camp ! Sortez de mes vignes ! Voleurs ! Assassins !

Un nouveau coup de feu. Shaé et Natan s'aplatirent sur le sol caillouteux. Derrière eux, les Helbrumes s'étaient arrêtés pour contempler cet inconnu qui les canardait. L'un d'entre eux se tenait plié, les bras pressés contre sa poitrine.

– Il est touché, jugea Shaé.

Au même instant, la silhouette du Helbrume se troubla, ses contours vacillèrent, il devint translucide et, soudain, les hommes en costume ne furent plus que quatre.

– Qu'est-ce que… balbutia Natan.

Une troisième détonation lui coupa la parole. Un Helbrume fut projeté en arrière comme s'il avait été percuté par un poing invisible.

Il se volatilisa avant de toucher le sol.

Les survivants se concertèrent du regard, firent volte-face et s'enfuirent en courant, accompagnés par une volée de balles qui les manqua de peu.

– Suis-moi, murmura Shaé.

Ils s'éloignèrent en rampant, le nez dans les herbes folles, jusqu'à se retrouver à l'abri d'un muret en pierres sèches. Là, ils se redressèrent à moitié et filèrent en direction de la pinède qui jouxtait les vignes. Le tireur avait cessé de vociférer et, son arme pointée devant lui, il descendait à grands pas vers l'endroit où s'étaient tenus les Helbrumes.

Natan et Shaé se plaquèrent contre le tronc d'un pin imposant et restèrent immobiles jusqu'à ce que le bonhomme, convaincu qu'il n'y avait plus d'intrus sur ses terres, regagne sa maison.

– Tu es gonflée, constata Natan. On a failli y rester !

Shaé se contenta de hausser les épaules.

– C'est un de tes amis ? reprit Natan.

– En quelque sorte. Le vieux Ben est un paysan à moitié fou qui terrorise ses voisins. Petite, je passais parfois le week-end dans un village pas loin d'ici, et un jour, alors que je me promenais avec mes parents, il nous a tiré dessus. À l'époque, c'était avec du gros sel ! Plus tard nous avons appris que personne ne mettait jamais les pieds dans ses vignes. Aussi bizarre que cela paraisse, nous en avons ri pendant une semaine…

Natan l'observait avec surprise. À mesure qu'elle parlait, son visage s'était éclairé comme si les souvenirs qu'elle relatait étaient un baume sur des blessures secrètes de son âme. Il en oubliait presque les Helbrumes et leur façon de disparaître lorsqu'ils étaient blessés.

– Pourquoi tu me regardes comme ça ?

Le sourire de Shaé s'était effacé, et elle le contemplait avec méfiance.

– Pour rien, la rassura-t-il. Nous avons intérêt à ne pas traîner ici, non ?

Elle acquiesça d'un hochement de tête et, prenant garde à effectuer un détour pour rester invisibles aux yeux du vieux Ben, ils repartirent vers la route.

Natan ressassait les derniers événements et le rôle qu'avait joué Shaé. Elle s'était débarrassée des Helbrumes en utilisant la ruse qui, la veille, lui avait permis de vaincre le Lycanthrope. Le parallèle était trop flagrant pour qu'il n'entraîne pas une série de questions qui s'ajoutaient à celles qu'il se posait depuis leur rencontre. Questions sans réponses.

Ils franchissaient un muret lorsque Shaé reprit la parole :

– On ne peut pas vraiment lui en vouloir, tu sais. À force de vivre seul et de ne parler à personne, le vieux Ben est désormais plus proche de l'ours que de l'homme.

16

Ils marchèrent un moment côte à côte en silence dans des champs en friche, Shaé perdue dans ses pensées, Natan scrutant les environs, attentif au moindre craquement de brindille, au moindre frémissement dans les herbes et les buissons. Il ne discerna aucune trace des Helbrumes.

Surpris par l'accueil du vieux Ben, ils avaient battu en retraite. Natan était persuadé qu'il ne s'agissait que d'une accalmie avant une nouvelle attaque. Il espérait toutefois que ce répit, même bref, lui offrirait le temps de trouver un téléphone et de contacter la personne censée l'aider.

Éviter la maison de Ben et la vue plongeante qu'il avait sur ses vignes leur imposa un important détour. Ils traversèrent d'abord une pinède touffue qui bruissait sous les assauts du mistral, puis un champ à l'abandon où quelques oliviers ensevelis sous les ronces tendaient vers le ciel leurs dernières branches argentées. Lorsqu'ils parvinrent enfin à l'endroit où ils avaient laissé la Clio, ils eurent la surprise de découvrir un véhicule de gendarmerie garé tout près. Trois gendarmes inspectaient les environs tandis qu'un quatrième fouillait l'intérieur.

– Zut, ragea Natan, qu'est-ce qu'ils fichent là ?
– Les coups de fusil ? suggéra Shaé.
Il y eut un bruit dans leur dos. Avant qu'ils aient pu se retourner, des mains s'abattirent sur leurs épaules.
– Vous allez m'expliquer ce que…
L'homme avait parlé d'une voix forte et autoritaire. Il n'acheva pas sa phrase.
D'une torsion du buste, Natan s'était dégagé. Il fit un pas sur le côté, découvrit l'identité du nouveau venu, ouvrit la bouche pour alerter Shaé…
Il n'en eut pas le temps.
Aussi vive qu'un serpent, elle avait pivoté et frappé. Son genou remonté avec violence s'écrasa contre l'entrejambe de l'homme.
Un homme vêtu d'un uniforme bleu et d'un képi !
Le gendarme se plia en deux en poussant un cri étouffé. Les mains pressées sur son bas-ventre, il se laissa tomber au sol et se roula en boule.
– Oh non, gémit Natan, tu as démoli un flic.
Shaé, livide, contemplait l'homme qui gémissait en tentant de retrouver son souffle.
– J'ai cru que c'était un Helbrume, se défendit-elle.
Alertés par le son de leurs voix, les gendarmes qui se tenaient près des voitures levèrent la tête. Natan voulut plaquer Shaé à terre, mais il était trop tard. Un cri d'alerte retentit. Un gendarme s'empara de la radio de son véhicule, tandis que les autres tiraient leurs armes et se précipitaient dans leur direction.
– Mais c'est pas possible ! s'emporta Natan. Qu'est-ce qu'on fait maintenant ?
Shaé lui renvoya un regard noir.
– Comme d'hab. On court !

Ils crurent d'abord que personne ne les poursuivait. Aucun bruit ne s'élevait derrière eux et lorsqu'ils se retournèrent après avoir escaladé une petite barre rocheuse, ils ne discernèrent aucun mouvement suspect dans les taillis.

– Tu crois qu'on les a semés ? s'enquit Shaé pantelante.

– Je ne connais pas les habitudes françaises, répondit Natan, mais, dans la plupart des pays où j'ai vécu, quand tu bousilles un gendarme, tu ne peux pas prétendre à des vacances avant un bon bout de temps. Tu aurais pu éviter d'agir comme une brute sans cervelle.

Shaé lui jeta un regard dédaigneux.

– Pauvre type, lâcha-t-elle d'un ton glacial.

Une série d'ordres criés à proximité ôtèrent à Natan la possibilité de répliquer. Des gendarmes étaient apparus sur leur gauche, plus nombreux qu'il ne l'escomptait. Ils étaient accompagnés de soldats en tenue de camouflage et tous étaient lourdement armés.

Les deux fugitifs se glissèrent entre les buissons et s'enfoncèrent toujours plus loin dans les collines.

À plusieurs reprises au cours de la poursuite, alors qu'ils se croyaient tirés d'affaire, Natan et Shaé faillirent être capturés. Ils repartaient alors, essayant d'oublier fatigue et désespoir. Trois fois, ils tentèrent de s'approcher d'un village, trois fois les forces de l'ordre les repoussèrent vers les collines. Épuisés, affamés, mourants de soif, ils prirent un peu de repos en fin d'après-midi à l'abri d'un cade gigantesque.

– Des gendarmes, des soldats… C'est pas un peu excessif ? demanda Shaé lorsqu'elle eut retrouvé son souffle.

– Que veux-tu dire ?

– Je n'ai tué personne, que je sache !

Natan réfléchit brièvement.

– Tu as raison. Sauf que…

– Oui ?

– Tu pourrais te rendre. Tu ne risques pas grand-chose.

Natan se tut. Il était soudain convaincu que la solution se trouvait là. Si Shaé se livrait, on ne pourrait lui reprocher qu'un geste un peu trop violent, un outrage à agent. Elle s'en tirerait sans problème. Seul, il s'échapperait bien plus facilement. C'est ce qu'il tenta d'expliquer à Shaé. Elle ne le laissa pas finir.

– Il n'en est pas question.

– Mais pourquoi ? Tu ne me dois rien, tu sais. Je peux…

Elle émit un claquement de langue définitif.

– Non, Nat. Il est hors de question que je passe ne serait-ce qu'une nuit dans une cellule…

Nat.

Elle l'avait appelé Nat.

Un simple diminutif qu'avaient employé la plupart de ses copains. Un diminutif qui n'était teinté d'aucun souvenir particulier. D'aucune connotation affective marquée. Ce fut pourtant son utilisation qui balaya ses arguments… et son envie de poursuivre seul sa route.

– On y va, annonça-t-il en se levant, montrant ainsi que la discussion était close. Mettons un maximum de distance entre eux et nous.

Le soleil se couchait lorsqu'ils parvinrent au bord d'une voie ferrée fendant le paysage d'est en ouest.

– N'y compte même pas, fit Shaé en notant l'air pensif de Natan. Il n'y a que des TGV qui passent ici. Et à pleine vitesse. Tu n'y monteras pas.

Natan hocha la tête en guise d'assentiment. Ils longèrent la voie, comme incapables de s'éloigner de cette seule marque de présence humaine à des kilomètres à la ronde, jusqu'à ce que Shaé se laisse tomber sur le ballast.

– Je n'en peux plus, jeta-t-elle.

Elle frissonna.

Avec l'arrivée de la nuit, le vent était devenu glacial et la fatigue n'arrangeait pas les choses. Sans compter qu'ils étaient affamés.

– Courage, lui dit-il en posant la main sur son épaule. Il y a une petite construction là-bas. On va…

Shaé se dégagea d'un geste brusque et se leva sans un mot. Natan lui lança un regard surpris, mais ne fit aucune remarque. Une ou deux minutes plus tard, ils atteignaient la construction. Large d'à peine deux mètres et guère plus longue, il s'agissait d'une de ces cabanes de chantier construites à intervalles réguliers le long du tracé du TGV. Si elle était fermée à clef, forcer la serrure ne présentait pas de difficulté particulière.

Natan poussait la porte lorsque le premier hurlement s'éleva.

Juste derrière eux.

17

– Qu'est-ce que c'est ? s'alarma Shaé.

En guise de réponse, Natan la poussa dans la cabane et claqua la porte. Les dernières lueurs du jour filtrant par une étroite fenêtre suffisaient à peine pour qu'ils se repèrent.

– Non ! s'exclama-t-elle en se débattant. Je veux sortir de là !

Sans s'occuper de ses protestations, Natan détailla le fatras d'outils gisant sur le sol. Il s'empara d'une lourde barre d'acier qu'il cala entre le mur du fond et la poignée. Ainsi la porte ne pourrait pas être ouverte.

– Qu'est-ce que tu fiches, bon sang ? s'emporta Shaé. Je t'ai dit que…

Un nouveau hurlement s'éleva.

Tout proche.

Il monta en puissance jusqu'à atteindre une note incroyable de sauvagerie qui persista pendant une longue minute, puis, doucement, il décrut et s'éteignit.

Shaé se rencogna dans un angle de la cabane, le plus loin possible de la porte et de la fenêtre.

– C'est… c'est un loup ? demanda-t-elle, bien qu'elle connût la réponse à sa question.

– Non, j'ai peur que ce soit pire.

– Le monstre dont tu m'as parlé dans la voiture ?

La voix de Shaé n'était plus qu'un murmure.

– Ce serait difficile. Disons plutôt un de ses frères.

En parlant, Natan examinait la cabane. Les murs et le toit étaient en béton, la porte en acier, et si la serrure ne valait rien, la barre de fer qui désormais la remplaçait empêcherait toute intrusion. Lycanthrope ou pas, ils ne risquaient rien.

– Je… je… je ne supporte pas d'être… enfermée, balbutia Shaé.

Elle avait glissé au sol et remonté ses genoux contre sa poitrine, les entourant de ses bras serrés. Natan s'accroupit près d'elle, posa la main sur son bras.

– Ne me touche pas !

Elle avait crié. Écho à son cri, le hurlement du Lycanthrope retentit une troisième fois, tout proche. Natan sursauta, saisit le premier outil qui lui tomba sous la main, une pioche, et se campa sur ses jambes. Shaé se recroquevilla et se mit à gémir.

Un coup formidable ébranla la porte, suivi d'un crissement angoissant lorsque les griffes de la bête raclèrent le métal. Un grognement sauvage s'éleva, puis un bruit de pas pesants et, soudain, un bras musculeux fusa à l'intérieur de la cabane par la petite fenêtre.

Natan abattit sa pioche.

Elle frappa le Lycanthrope à la hauteur du coude.

Un nouveau cri retentit, de douleur cette fois-ci, et le bras disparut.

Natan chercha des yeux de quoi boucher la fenêtre. Elle était trop étroite pour que le monstre se glisse à l'intérieur, mais il pouvait attraper la barre qui fermait la porte, la faire sauter et, s'il entrait…

Pestant contre le manque de lumière, Natan fouilla dans les outils. Il lui semblait, un peu plus tôt, avoir remarqué un bidon métallique dont la taille aurait pu convenir et il n'arrivait pas à mettre la main dessus.

– Tu pourrais m'aider, non ? lança-t-il à Shaé toujours prostrée.

Elle répondit par un grognement rauque qui lui fit tourner la tête. Natan savait que certaines personnes souffrent de claustrophobie et que cette angoisse, selon sa gravité, est considérée comme une véritable maladie. Il prit tout à coup conscience de l'exiguïté de la cabane. Si Shaé était claustrophobe, elle devait souffrir le martyre.

– Ça va aller ? demanda-t-il le plus gentiment possible.

De nouveau ce grognement rauque. Presque animal. Natan s'approcha à tâtons de la masse sombre que formait Shaé recroquevillée dans son coin.

– Il faut tenir bon, la rassura-t-il. Essaie de…

Un grondement farouche retentit dans son dos. Natan eut juste le temps d'esquisser un mouvement de protection. Le bras du Lycanthrope qui avait fusé par la fenêtre rata sa cible, les griffes du monstre lacérèrent l'épaule du garçon au lieu de sa gorge.

Sous l'impact, Natan fut jeté au sol, sa tête percuta le mur de béton et, pendant un instant de panique totale, il ne fut plus que souffrance. Incapable de reprendre ses esprits, il vit les doigts du Lycanthrope se tendre vers la barre d'acier qui condamnait la porte.

Il se redressait péniblement, conscient de l'inanité de son geste, lorsque avec un cri sauvage une forme noire bondit par-dessus lui.

Shaé.

Non, pas Shaé.

Pas une jeune fille.

Même pas un être humain.

Un animal tout à la fois difforme et puissamment bâti, doté d'une gueule redoutable aux crocs impressionnants. Une gueule qui se referma sur le bras du Lycanthrope avec un bruit écœurant d'os brisés. Le monstre poussa un hurlement de douleur et, après s'être débattu avec frénésie, réussit à se libérer pour disparaître dans la nuit.

L'animal qui l'avait mis en fuite tourna ses yeux jaunes luminescents vers Natan étendu sur le sol. Un grognement menaçant sortit de sa gorge.

Natan sentit son ventre se nouer.

Il connaissait ces mâchoires puissantes, parmi les plus puissantes de tous les mammifères carnivores, et cette silhouette si caractéristique qu'il avait souvent observée en Tanzanie. Il savait aussi que malgré sa réputation de charognard, l'animal qui lui faisait face était un redoutable chasseur, fort, endurant, rusé.

Un tueur.

Il ignorait, en revanche, par quelle magie ce n'était plus Shaé qui se trouvait près de lui, mais une hyène noire de soixante kilos.

Cela n'avait toutefois aucune importance. Puisqu'il allait mourir.

La hyène s'approcha.

Natan ferma les yeux.

18

Pendant une longue minute, le silence régna sur la cabane. Un silence rythmé par le halètement profond de la hyène.

Un silence de peur.

Un silence de mort.

Trop choqué pour trouver la force de réagir, Natan attendait l'instant terrifiant où les mâchoires de la bête se refermeraient sur lui. Il sentait le sang sourdre de sa blessure, s'infiltrer sous sa parka, couler le long de son torse.

Il s'en moquait. Pour la première fois de sa vie, il était résigné.

Le souffle de la hyène, étrangement dépourvu des effluves pestilentiels qui auraient dû l'accompagner, caressa son visage.

Natan se mit à trembler.

Un tremblement incoercible qui s'empara de son corps entier et fut suivi par une vague de nausées douloureuses. Il était proche de l'évanouissement lorsque la respiration de la hyène se modifia.

D'abord imperceptiblement. Puis, une éternité plus tard, de façon marquée.

Le grondement sourd qui montait de sa poitrine devint un gémissement.

Un sanglot.

Natan ouvrit les yeux.

Roulée en boule à ses pieds, Shaé geignait doucement.

Le premier sentiment de Natan fut le soulagement. Il était en vie.

Le deuxième, l'inquiétude. Shaé, quelle que fût sa véritable nature, paraissait en piteux état.

Le troisième, qui balaya tout le reste, fut la souffrance. Son épaule le lançait de manière effroyable, il ne pouvait plus bouger le bras et son crâne était pris dans un étau qui lui donnait envie de vomir.

Au prix d'un immense effort de volonté, il tendit la main vers Shaé, frôla ses cheveux.

– Ne me touche pas…

La voix, cassée, était à peine humaine et les yeux qui se fixèrent sur Natan ceux d'un fauve.

– Ne me touche… surtout pas !

La main de Natan retomba sans force. Il eut le temps de voir un rayon de lune accrocher une larme sur la joue de Shaé.

Il s'évanouit.

Il reprit connaissance bien plus tard. Un air glacé s'engouffrait par la porte grande ouverte de la cabane.

Il était seul.

Son épaule avait été sommairement pansée et ne saignait plus, mais lorsqu'il voulut se lever, la souffrance revint, si violente qu'il ne put retenir un cri.

Il referma les yeux.

– Nat.

La voix perça les brumes du sommeil tourmenté de Natan.

– Nat, il faut qu'on parte.

Shaé se tenait près de lui, l'air soucieux. Il faisait jour.

– Il faut partir, Nat. Des gens approchent.

Natan s'assit. Le sang battait à grands coups douloureux contre ses tempes et il était brûlant de fièvre. Ses yeux se posèrent sur Shaé, sur sa silhouette élancée, sur l'ovale harmonieux de son visage… Ne pas penser à la hyène… Plus tard…

– Des gendarmes ?

– Des Helbrumes. Six. Ils sont assez loin, mais ils se dirigent vers nous.

Natan se leva avec difficulté sans qu'elle fasse un geste pour l'aider. Une fois debout, même si sa tête tournait, il fut rassuré de se découvrir capable de marcher. Il frissonna. Shaé avait déchiré sa parka pour panser sa blessure et, si elle l'en avait couvert pendant qu'il dormait, il n'était désormais plus possible de l'enfiler.

Ils quittèrent la cabane et s'enfoncèrent dans une pinède en direction du sud. Le matin était encore jeune, un matin de novembre pur et glacial. L'air embaumait les plantes aromatiques et l'odeur de la terre. Les premiers pas de Natan furent difficiles, puis, peu à peu, il se sentit mieux. Il avait beau savoir que sa blessure devait être soignée rapidement par un médecin, savoir qu'un accès de fièvre pouvait le terrasser à tout moment, il avait la force de fuir les Helbrumes.

C'était l'essentiel.

Shaé, immergée dans ses pensées, marchait en silence. La Chose avait pris le contrôle cette nuit. Complètement. Elle avait chassé le Lycanthrope, mais elle avait aussi failli égorger Natan. Shaé, cantonnée au rang de spectatrice impuissante des agissements de son propre corps, n'avait réussi à la dominer qu'à l'ultime seconde.

L'ultime seconde !

Une certitude pulsait maintenant en elle : la prochaine fois elle perdrait la bataille. La Chose était la plus forte. Elle, Shaé, était destinée à devenir une bête sauvage assoiffée de sang et de mort.

À ses côtés, Natan avançait avec peine, les lèvres serrées. Il était différent des autres. Si différent qu'elle avait voulu se persuader qu'il allait l'aider. Elle devait admettre que c'était une illusion.

Personne ne pouvait rien pour elle.

Elle fut donc surprise de s'entendre parler. Des mots sombres et inquiets, à l'image de son état d'esprit, mais des mots vrais, des mots qu'elle ne se serait jamais crue capable de prononcer.

– Nat, tu crois que je suis un monstre ?

Il s'arrêta et l'observa avec attention, conscient de l'impact qu'aurait sa réponse sur son équilibre. Sur sa vie. Il attendit qu'elle accepte son regard et le lui rende pour s'exprimer.

Avec force.

– Non, Shaé. Tu n'es pas un monstre !

Lueur d'espoir dans les yeux de Shaé. Mort-née.

– Tu m'as pourtant vue cette nuit, non ? Quelle différence avec le Lycanthrope ?

– Une énorme différence. Tu nous as sauvé la vie !

Shaé éclata d'un rire sans joie.

– La Chose s'est défendue, un point c'est tout. Si elle avait gardé le pouvoir en moi, elle t'aurait tué. Sans hésitation.

Natan perçut le désespoir dans la voix de Shaé. Il fallait la convaincre qu'elle faisait fausse route. Quels que soient ses propres doutes…

– Mais elle n'a pas gardé le contrôle ! Tu es toi, Shaé, pas une chose ou un monstre. Tu es toi et tu peux le rester. Tu peux aussi compter sur moi. Je ne suis pas un spécialiste en métamorphoses, mais tu peux compter sur moi.

Shaé demeura silencieuse.

Elle avait un peu moins soif.

19

En milieu de matinée, un bruit de moteurs parvint à leurs oreilles. Le bruit caractéristique de motos de cross s'élançant à l'assaut de pentes escarpées. Sans se concerter, ils infléchirent leur marche pour s'en approcher.

Ils découvrirent bientôt un circuit tracé à flanc de colline sur lequel trois insectes pétaradants défiaient les lois de la pesanteur. La piste décrivait une double boucle ponctuée de bosses sauvages, puis tirait droit vers le sommet par une série de raidillons incroyablement abrupts. Arrivées en haut, les motos s'envolaient avant de retomber hors de vue sur l'autre versant. Elles poursuivaient leur parcours en rugissant, et réapparaissaient quelques minutes plus tard au bas du circuit.

Une voiture à laquelle était attelée une remorque était garée à cet endroit, près de deux motos d'enduro. Il y avait là une chance à saisir mais, l'esprit embrumé par la fatigue, Natan était incapable du moindre choix. Le visage interrogateur, il se tourna vers Shaé.

Elle hocha la tête :

– On s'approche discrètement et on croise les doigts pour qu'ils aient laissé les clefs sur le contact.

Voler une voiture ! La série de délits commencée avec « l'emprunt » du canoë sur le lac du Fou s'allongeait de façon inquiétante, pourtant il n'y avait pas d'autre solution.

Se faufilant d'arbre en arbre, Natan et Shaé parvinrent jusqu'à la voiture sans se faire remarquer. Les portes étaient ouvertes, mais il n'y avait pas de clef à l'intérieur. Natan jura entre ses dents. Il sentait la fièvre revenir au galop et ses forces le fuir. Shaé, impassible, lui tendit un blouson de cuir qu'elle venait de récupérer sur la banquette arrière.

– Enfile ça, lui conseilla-t-elle, et planque-toi. J'en ai pour deux minutes.

– Qu'est-ce que tu vas faire ?

– Prendre une moto.

– Sans les clefs ?

Shaé acquiesça.

– Je connais bien les deux-roues.

Elle se glissa jusqu'à une Honda rouge au profil agressif. Elle attrapa une poignée de fils sous le compteur et les arracha d'un coup sec. Elle entreprit ensuite de les trier, repoussant certains, en raccordant d'autres par d'habiles épissures. Elle travaillait vite, sans hésitation ni geste inutile, sous le regard admiratif de Natan. Où diable avait-elle appris ça ?

Les motards achevaient un tour de circuit. Ils surgiraient bientôt. En entendant le vacarme des engins se rapprocher, Shaé s'interrompit et se réfugia près de Natan.

– C'est presque bon, lui annonça-t-elle. Dès qu'ils attaqueront la montée, je démarrerai. Tu grimperas derrière moi et on filera. Tu tiendras le coup ?

Elle désignait l'épaule de Natan et son bras qui pendait, engourdi.

– Ça ira.

Les motos passèrent à dix mètres d'eux sans ralentir et se lancèrent à l'assaut du premier raidillon. Shaé bondit et se jucha sur la Honda. D'un coup de talon vigoureux, elle actionna le kick. Le moteur vrombit.

Natan s'assit derrière elle et passa son bras valide autour de sa taille. Il la sentit tressaillir à son contact, mais elle parvint à se contenir.

Elle enclenchait la première lorsque, à un mètre d'eux, le pare-brise de la voiture explosa, projetant des débris de verre dans toutes les directions tandis qu'une détonation roulait dans les collines.

Natan tourna la tête.

Un Helbrume avait surgi à cinquante mètres d'eux et les mettait en joue avec un fusil.

– Fonce ! cria-t-il à Shaé.

Elle avait déjà ouvert les gaz.

La Honda bondit en rugissant. La roue arrière chassa, Shaé la redressa d'un coup de reins puis accéléra.

À fond.

Un monocylindre de 600 cm^3 peut développer une puissance sidérante pour qui n'en a pas l'habitude. Natan dut se cramponner de toutes ses forces pour ne pas être éjecté. Si d'autres balles furent tirées, ni lui ni Shaé ne les entendirent. Le moteur hurlait trop fort.

Ils s'engagèrent à une vitesse impressionnante sur la piste qui quittait le circuit. À trois reprises, Natan sentit la moto décoller puis retomber sur sa roue arrière sans que Shaé marque la moindre hésitation. Au contraire. Il avait la sensation qu'elle ne cessait d'accélérer.

La piste qu'ils suivaient était plus large et roulante que les sentiers qu'ils avaient empruntés jusque-là. Elle ne pouvait que mener à une route ou un village.

Au bout d'un quart d'heure, ils débouchèrent en effet sur une départementale. Shaé ralentit.

– De quel côté veux-tu que…

– Attention !

Une grosse berline noire venait de surgir d'une courbe et fonçait dans leur direction.

Les Helbrumes !

Shaé relança les gaz avant que le cri de Natan se soit éteint. La Honda bondit, ses pneus mordirent le goudron, Shaé à moitié couchée sur le réservoir, Natan plaqué contre son dos.

La voiture grossissait de manière inquiétante mais, dès le premier virage, négocié en couchant la moto jusqu'à ce que leurs genoux frôlent l'asphalte, les fugitifs reprirent l'avantage.

Natan avait toutes les peines du monde à ne pas paniquer. Lui qui avait pratiqué un nombre impressionnant de sports n'était jamais monté sur une moto. Il était persuadé que leur course folle s'achèverait contre un arbre ou dans un ravin.

La série de courbes qui avait permis à la Honda de distancer ses poursuivants prit fin, laissant la place à une ligne droite qui paraissait infinie.

– Couche-toi ! hurla Shaé.

C'est en se faisant le plus petit possible contre elle que Natan sentit le téléphone dans la poche du blouson. Il hésita une seconde puis un bref coup d'œil jeté en arrière le convainquit. Les Helbrumes se rapprochaient inexorablement, il n'avait rien à perdre.

Il se cala de son mieux contre le dos de Shaé et saisit le petit appareil de sa main valide, attentif à ne pas le laisser tomber. Il soupira de soulagement en le découvrant allumé.

Shaé louvoyait entre les véhicules, mais la circulation n'était pas assez dense pour que cette manœuvre risquée lui permette de semer la berline noire.

Natan composa le numéro que son père lui avait communiqué et porta le téléphone à son oreille. Quelqu'un décrocha à la deuxième sonnerie.

– Oui ?

Malgré le vent de la course et sa position inconfortable, Natan avait parfaitement entendu.

– Euh… je m'appelle Natan. Je suis le fils de Luc, le…

– Je sais qui tu es, Natan. Pourquoi appelles-tu ?

Ne pas perdre de temps. Annoncer l'essentiel. Convaincre.

– Je suis en danger. Des types me poursuivent pour me tuer.

La voix ne marqua pas la moindre surprise.

– Tu es près de Marseille ?

– Oui, je…

– À quel endroit exactement ?

– Je suis à moto. Je viens de passer près d'un groupe de fermes nommé les Quatre Termes.

– Dans quelle direction ?

– Le sud.

– Et ceux qui te pourchassent ?

– Ils sont juste derrière, dans une voiture noire. Une Mercedes ou une Audi.

– C'est bon. Je m'occupe de tout.

Le correspondant de Natan raccrocha. Leur conversation avait duré moins de trente secondes.

20

Shaé prenait des risques inouïs pour conserver son avance, slalomant entre les voitures, doublant à droite, à gauche, maniant sa moto comme l'eût fait un pilote professionnel, mais l'écart se réduisait peu à peu.

Inéluctablement.

Après avoir passé une longue minute à gigoter dans son dos pour des raisons inconnues, Natan s'était enfin immobilisé. Cela ne changeait pas grand-chose. Si la route ne se mettait pas rapidement à tourner ou si elle ne trouvait pas le moyen de la quitter pour un chemin de terre, ils étaient fichus.

Le grondement sourd d'un moteur s'éleva juste à côté d'elle. Une moto de course, noire et racée, venait de se placer à sa hauteur.

Sans le moindre effort.

Le pilote, un homme vêtu de cuir sombre, leva un pouce amical avant de lui faire signe de le suivre. Shaé fronça les sourcils. Qu'est-ce qu'il…

– Suis-le !

Natan avait hurlé afin qu'elle l'entende. Pendant une seconde, Shaé douta de la santé mentale de son passager puis elle cria :

– Pourquoi ?

– C'est un ami !

Si c'était un ami…

Convaincue à moitié seulement, Shaé leva le pouce à son tour.

Le motard hocha la tête et accéléra. Sa machine prit une avance confortable. Shaé s'attendait à le voir disparaître mais, alors qu'un village se profilait au bout de la ligne droite, il quitta la route principale pour emprunter une voie perpendiculaire.

Shaé l'imita quelques secondes plus tard, talonnée par l'Audi des Helbrumes. Elle avait la désagréable impression d'avoir fait une erreur en suivant l'inconnu. La nouvelle route, aussi droite que l'ancienne, était déserte. Si elle ne trouvait pas très vite le moyen de sortir de ce fichu traquenard…

La Honda avait beau donner toute sa puissance, la berline des Helbrumes était quasiment sur eux. Quant au motard prétendument ami, il avait mis les gaz et n'était plus qu'un point minuscule loin devant eux.

Non, pas si minuscule que ça.

Pas si loin.

Il grossissait même à vue d'œil.

Avait-il ralenti ?

Il était arrêté. Au milieu de la route. À côté d'une dizaine d'hommes sortis de voitures elles aussi arrêtées, formant un barrage infranchissable.

Tous étaient armés.

Shaé ne freina qu'à l'ultime seconde. La Honda dérapa, faillit quitter la chaussée, se redressa par miracle et stoppa à un centimètre du capot rutilant d'une Jaguar grise.

Shaé hésitait sur la conduite à tenir, lorsque Natan descendit. Son bras le faisait souffrir et il éprouvait les plus grandes difficultés à tenir debout, mais il se savait en sécurité.

Enfin en sécurité.

Les hommes du barrage ne lui accordèrent aucune attention. Leurs regards et leurs armes étaient pointés sur la voiture des Helbrumes… qui était en train de battre le record du monde de vitesse en marche arrière.

Shaé sentit un frisson de soulagement parcourir son dos. Elle appuya son front sur le guidon de la Honda, respira un grand coup… et laissa le moteur tourner.

Un homme descendit de la Jaguar.

Âgé d'une quarantaine d'années, grand, bien bâti, il était vêtu d'un costume élégant et dégageait l'aura écrasante de ceux qui n'ont aucun doute sur le pouvoir qu'ils détiennent. Il s'approcha de Natan et posa la main sur son épaule valide.

– Je m'appelle Barthélemy. Je suis le cousin de ton père. Sois le bienvenu dans la Famille, Natan.

La Maison dans l'Ailleurs

1

Maintenant qu'elle était seule, Shaé pouvait se laisser aller. Les yeux écarquillés par la surprise et l'admiration, elle entreprit de visiter la somptueuse chambre qu'on lui avait attribuée. Suite aurait été un terme plus correct pour désigner les trois immenses pièces où elle se trouvait, mais elle ignorait ce mot.

Cela ne prêtait pas à conséquence puisqu'elle ne remettrait probablement jamais les pieds dans une pareille demeure.

Même en rêve.

Un salon, tout d'abord, faisant également office de bureau, lambrissé d'un bois rosé qu'elle devinait précieux, au plafond peint en trompe-l'œil représentant un ciel aux couleurs pastel, comportant un espace high-tech avec ordinateur, écran géant et chaîne stéréo futuriste. Le tout décoré avec la simplicité parfaite des intérieurs luxueux. Puis une chambre, vaste et lumineuse, organisée autour d'un lit digne d'un conte de fées et enfin une salle de bain presque aussi grande que l'appartement où elle habitait, avec une baignoire ronde taillée dans un bloc de marbre, un jacuzzi et une table de massage.

Comment pouvait-on être aussi riche ?

Shaé ouvrit une porte-fenêtre et sortit sur la terrasse. L'exposition plein sud la protégeait des assauts du mistral et offrait une vue à couper le souffle sur la baie de Marseille. Un parc soigneusement entretenu et clos de hauts murs s'étendait autour de la maison de Barthélemy, l'isolant des villas voisines que la végétation rendait invisibles.

Shaé eut une pensée pour ses tuteurs. Ils avaient beau n'éprouver aucune affection pour elle, ils étaient sans doute inquiets. Peut-être, croyant qu'elle avait été enlevée, avaient-ils prévenu la police. Il y avait un téléphone sur le bureau. Les appeler et les rassurer ne prendrait qu'une minute.

Shaé balaya cette idée aussi vite qu'elle était venue. Elle ne ferait rien sans en avoir auparavant parlé à Natan.

Natan.

Le seul à avoir vu ce qu'elle devenait lorsque la Chose prenait le contrôle.

Il n'en avait pas paru choqué, et le regard qu'il portait sur elle n'avait pas changé. Un regard chaud et généreux. Fraternel, même si la lueur qu'elle y avait découvert à plusieurs reprises quand il l'observait – croyait-il à la dérobée – n'était pas de celles qu'un garçon réservait à une sœur…

Elle se prenait à croire qu'elle pouvait lui faire confiance. Pour cette raison et pour une autre.

Il y avait l'aventure qui, avec lui, avait surgi dans son existence. Ces créatures maléfiques qui en voulaient à leur vie, et la course-poursuite effrayante qui en avait résulté.

Sans compter les extraordinaires capacités physiques et intellectuelles dont Natan faisait preuve.

Et la Famille.

Barthélemy, l'oncle de Natan, ou son cousin – Shaé avait mal compris leur lien de parenté –, leur avait posé une série de questions précises alors que la Jaguar fonçait vers Marseille. Il s'exprimait avec une autorité calme et froide, presque inquiétante, qui avait déplu à Shaé. S'il avait été commissaire de police chargé d'une enquête délicate, il ne se serait pas comporté autrement.

Il n'avait pas marqué la moindre émotion en apprenant la mort du père de Natan. Il avait juste posé une nouvelle série de questions. Dénuées de sentiments.

Natan avait dû être troublé parce qu'il avait laissé dans l'ombre nombre de détails. La Chose, bien sûr, mais aussi la voix qui jaillissait parfois de sa mémoire et dont il avait parlé à Shaé. Il avait également tu, sans qu'elle comprenne pourquoi, la façon dont il s'était débarrassé du premier Lycanthrope qu'il n'avait d'ailleurs pas évoqué, et était resté très évasif sur les Helbrumes.

Barthélemy avait posé une dernière question puis, sans avertissement, avait éclaté de rire. Un rire franc et ouvert qui l'avait transfiguré. Sans son masque de sévérité hautaine, il faisait dix ans de moins et paraissait bien plus sympathique.

Un sourire séduisant avait adouci ses traits et c'est avec une cordialité confondante qu'il s'était adressé à Natan.

– Je suis vraiment heureux de te rencontrer, s'était-il exclamé, même si j'aurais souhaité que ce soit en des circonstances moins dramatiques. Luc était plus qu'un cousin pour moi. Presque un frère. Nous avons passé une partie de notre jeunesse ensemble et cela ne m'étonne pas qu'il t'ait confié à moi.

Il avait ensuite demandé à voir l'épaule de Natan, et grimacé lorsqu'il avait découvert la plaie ouverte par les griffes du Lycanthrope. La blessure ne saignait plus, mais elle était profonde, et ses bords déchiquetés. Barthélemy avait saisi son téléphone.

– Allô, Jacques ? Barthélemy à l'appareil. Un de mes jeunes cousins s'est ouvert l'épaule. Il a besoin d'être recousu… Non, pas à la clinique, chez moi !… Quoi ?… Je me fiche que tu sois attendu au bloc…

La voix de Barthélemy était devenue glaciale. Aussi tranchante qu'un rasoir.

– Chez moi, Jacques. Dans un quart d'heure.

Il avait raccroché.

Son sourire avait réapparu.

Comme par magie.

La Jaguar s'était glissée avec fluidité dans le trafic marseillais avant de gagner la Corniche puis les ruelles escarpées du Roucas-Blanc. Un haut portail métallique avait coulissé sous l'œil impassible d'une caméra de surveillance et le chauffeur avait engagé la voiture dans le parc.

Tandis que Natan était pris en charge par le médecin appelé par Barthélemy, un majordome en livrée s'était approché de Shaé.

– Si mademoiselle veut bien se donner la peine de me suivre.

Un coup discret frappé à la porte tira Shaé de ses réflexions. Elle regagna la chambre, pour découvrir le majordome qui l'attendait, droit comme un « i ».

– Le repas sera servi dans une heure. Mademoiselle désire-t-elle porter une tenue particulière ?

Shaé haussa les sourcils sans comprendre. Elle ouvrait la bouche pour solliciter des explications lorsqu'elle nota le discret coup d'œil de l'homme sur ses vêtements défraîchis. Ses joues devinrent écarlates.

– Euh… balbutia-t-elle. Je…

Les lèvres du majordome s'étirèrent en un imperceptible sourire, mais il demeura muet, lui refusant le secours qu'elle implorait en silence.

– Euh… Vous avez un jean ? Et un sweat ou un pull ?

Le sourire se teinta de dédain. À peine masqué.

– Oui, mademoiselle, nous avons… ça. Avec des baskets, je suppose… Désirez-vous un parfum particulier au sortir de votre bain ? Balenciaga ? Houbigant ? Matsushima peut-être ?

Shaé ne connaissait aucun de ces noms. Elle se demanda brièvement si le majordome les avait cités exprès, faillit en choisir un au hasard, puis, craignant de commettre une maladresse, elle décida de s'abstenir.

– Euh… Non merci.

De nouveau cette ombre méprisante sur un visage pourtant lisse de toute expression. Shaé sentit une vague de colère l'envahir. Elle serra les poings, consciente que son comportement était ridicule. Si elle mourait d'envie de lui faire ravaler sa suffisance à coup de claques, elle ne pouvait pas se le permettre.

– Mademoiselle a-t-elle encore besoin de mes services ?

– Non.

Elle avait tenté de prendre un ton détaché mais elle sentit que c'était raté. Le majordome hocha la tête et se détourna. La porte se referma en douceur derrière lui.

– Pauvre con, murmura Shaé.

Elle avait envie de pleurer.

2

Shaé ne sortit de son bain que lorsqu'une horloge, quelque part dans la demeure, sonna les douze coups de midi. Toute rancune oubliée, fatigue et tension évacuées, elle se sentait apaisée. Elle essora sa chevelure de jais et, d'un œil critique, évalua sa silhouette dans un miroir.

Son corps fin et musclé ne présentait pas les courbes voluptueuses dont raffolaient certains garçons, mais cela ne la dérangeait pas.

Au contraire.

Elle aimait bien sa peau mate, au grain serré, si lisse. Elle s'était même habituée à la tache de naissance plus claire qui marquait le haut de sa cuisse gauche.

Elle était en revanche plus critique envers son visage. Elle trouvait ses pommettes trop saillantes, ses yeux noirs trop grands, ses lèvres trop charnues, son menton trop pointu… Cela faisait beaucoup de trop. Trop de trop pour apprécier ce qu'elle voyait.

Elle haussa les épaules. Quelle importance après tout ?

Pendant qu'elle se prélassait dans la baignoire, des vêtements avaient été déposés sur le lit. Un jean de marque, un tee-shirt et un pull noir en cachemire. Elle s'habilla puis chaussa les baskets préparées à son intention. Tout lui allait à la perfection. Le majordome était peut-être un imbécile prétentieux, mais il savait jauger les gens.

Elle sortit de la chambre et descendit le double escalier à balustres qui conduisait au rez-de-chaussée. Elle retrouva Natan dans le salon qui s'ouvrait sur le hall.

Tout d'abord, elle ne le reconnut pas. Vêtu d'un pantalon sombre et d'une veste en lin gris anthracite qui faisait ressortir la pâleur de son teint, les cheveux soigneusement coiffés, il avait le look sérieux d'un fils de ministre ou d'ambassadeur. Rien à voir avec le Natan épuisé qui avait fui les Helbrumes avec elle.

Puis il se tourna dans sa direction, ses yeux verts s'illuminèrent, un sourire chaleureux se peignit sur son visage et il redevint le Natan qu'elle connaissait depuis deux jours. Depuis une éternité.

– Shaé. Enfin ! Comment te sens-tu ?

Shaé mit quelques secondes à répondre. En le découvrant, une étrange émotion s'était emparée d'elle. Une émotion jusqu'alors inconnue qui lui donnait le sentiment d'être minuscule et immense, triste à pleurer et profondément heureuse, vivante et…

– Shaé ?

Elle se reprit enfin.

– C'est à toi qu'il faut poser la question. Comment va ton épaule ?

Natan remua son bras avec précaution.

– Pas mal. Le docteur qui m'a recousu a dit que j'avais eu de la chance que le chien n'ait pas sectionné l'artère humérale.

– Le chien ?

– Je ne pouvais guère lui parler du Lycanthrope, non ? Sauf si je désirais être interné d'urgence. Cela dit, je ne crois pas qu'il ait été dupe. Et toi, comment te sens-tu ?

Shaé désigna de la main la pièce somptueuse dans laquelle ils se trouvaient.

– Disons que je n'ai pas l'habitude de tout ça. Chez moi, c'est plus… normal. Et puis, je ne comprends pas vraiment ce que je fabrique ici. J'ai une chambre comme si je devais m'installer, mais il va falloir que je rentre à la maison. Mes tuteurs sont certainement inquiets.

Une voix s'éleva dans leur dos :

– Le problème de vos tuteurs est réglé, je les ai avertis.

Barthélemy se dirigeait vers eux, un sourire affable sur le visage.

– Je suis désolé de vous avoir fait attendre. Je…

– Qu'est-ce que ça veut dire le problème est réglé ?

Shaé avait parlé sur un ton dur, presque agressif ; le sourire de Barthélemy ne vacilla pas.

– Je vais vous expliquer tout cela, mais auparavant passons à table. J'ai faim et un après-midi très chargé m'attend.

Ils gagnèrent la salle à manger et s'installèrent autour d'un repas succulent que leur servit un maître d'hôtel en livrée. Shaé et Natan qui n'avaient rien mangé depuis la veille se jetèrent sur la nourriture, laissant toute latitude à Barthélemy pour gérer la conversation. Il commença par une question.

– Avez-vous une idée de ce qui a poussé un peloton entier de gendarmerie à se lancer à votre poursuite ?

Natan et Shaé échangèrent un regard surpris. Ils ne s'attendaient pas à cette entrée en matière.

– Non, répondit finalement Natan.

– Un gendarme a reçu un mauvais coup, ajouta Shaé. Cela n'explique pas qu'ils nous aient traqués.

– Vous avez raison, fit Barthélemy soudain grave. Dites-moi, Shaé, ce garçon dont Natan m'a parlé, celui à qui vous avez emprunté la voiture…

– Eddy ?

– Oui, c'est ça. Vous le connaissez ?

– Non.

– Et toi ? demanda Barthélemy en se tournant vers Natan.

– Je l'ai aperçu pour la première fois hier lorsque je suis intervenu afin d'aider Shaé. Pourquoi ?

Barthélemy passa la main dans ses cheveux poivre et sel qu'il portait très courts. Il semblait soucieux.

– Et lorsque tu es intervenu, comme tu dis, tu as cogné fort ?

– Suffisamment pour le calmer, mais pas assez pour l'assommer ou le blesser. Que se passe-t-il ?

– Rien de bien méchant. Je voulais juste être certain que vous n'étiez pour rien dans cette affaire. Me voilà rassuré. Je me suis permis de contacter vos tuteurs, Shaé, et de leur dire que vous aviez accepté une invitation inopinée de Natan. Ainsi personne ne pourra faire le lien entre cet Eddy et vous.

– Il y a quand même plus important que cette racaille d'Eddy, non ? s'insurgea Natan. Il faut d'abord découvrir qui sont ces types qui nous poursuivent et savoir si ce sont eux qui ont tué mes parents.

Barthélemy découpa posément un morceau de volaille.

– Je suis d'accord, déclara-t-il. J'ai prévenu la Famille et sois certain que…

– Quelle affaire ? l'interrompit Shaé.

– Pardon ?

– À quelle affaire avez-vous fait allusion lorsque vous avez parlé d'Eddy ?

Barthélemy la jaugea en silence puis, avec lenteur, posa ses couverts.

– La police a retrouvé Eddy sur le parking dont vous avez parlé.

Il but une gorgée de vin avant de poursuivre :

– Mort et en pièces détachées.

3

Barthélemy avait prononcé sa dernière phrase les yeux rivés sur Natan et Shaé, à l'affût de la moindre de leurs réactions. La surprise mêlée de consternation qui se peignit sur leurs visages acheva de le convaincre qu'ils n'étaient en rien responsables de l'assassinat d'Eddy.

– Les Helbrumes ! s'exclama Natan avec force. Ce sont les Helbrumes qui ont fait le coup !

L'attention de Barthélemy se focalisa sur lui, aussi précise et intense qu'un faisceau laser.

– Les quoi ?

– Les hommes en costume qui me pourchassent depuis le Canada, ceux que vous avez mis en fuite ce matin. Ils…

– Comment les as-tu appelés ?

Natan se mordit les lèvres. Barthélemy lui avait sauvé la vie, ils faisaient partie de la même Famille, mais, si de toute évidence la confiance de son père lui avait été acquise, Natan rechignait à lui accorder la sienne.

Il avait trop longtemps vécu seul. Y compris lorsque ses parents étaient en vie.

Il était toutefois trop tard pour faire machine arrière.

– Ce sont des Helbrumes. Du moins je le crois.
– Des Helbrumes…
– Oui. Des créatures qui…
– Je sais ce que sont les Helbrumes, le coupa Barthélemy, même si je n'avais plus entendu ce nom depuis mon enfance. Ce qui m'étonne, c'est que toi, tu aies su les reconnaître. Cela fait plus de cinq siècles que les Helbrumes ne se sont pas manifestés. En outre, ton père ne semblait pas pressé de t'apprendre qui ils sont. Du moins la dernière fois que je l'ai rencontré.

Barthélemy se tut, réalisant soudain que Shaé l'observait en buvant chacune de ses paroles.

– Il serait sans doute préférable que vous nous attendiez dans le salon, fit-il sur un ton courtois mais sans appel.

Natan intervint au moment où elle se levait.

– Shaé peut rester, elle en sait autant que moi sur les Helbrumes.
– Vraiment ?
– Oui, je lui ai tout raconté. Et il n'y a pas que ça.
– Je t'écoute.

Une flamme étrange s'était allumée dans les yeux de Barthélemy. Natan hésita, faillit renoncer, puis se décida. Il devait lui faire confiance. C'était le seul moyen d'éclaircir le brouillard dans lequel il nageait… et la seule solution pour rester avec Shaé.

– Les Helbrumes ont essayé de liquider Shaé avec autant d'acharnement qu'ils en ont mis à me pourchasser. J'ignore ce qu'ils me veulent, mais une chose est certaine, ils manifestent pour elle autant d'intérêt que pour moi.

– C'est étrange, en effet, et cela modifie la donne… Cela ne m'explique toutefois pas comment tu sais qu'il s'agissait de Helbrumes.

Barthélemy, de toute évidence, acceptait la présence de Shaé. Après une brève hésitation, Natan reprit son histoire depuis le début, n'omettant cette fois ni la description du Lycanthrope, ni la voix qui jaillissait en lui pour lui offrir de précieuses informations sur les dangers qu'il courait.

Barthélemy l'écouta sans l'interrompre, le menton posé sur ses mains croisées. Lorsque le récit fut achevé, un sourire nostalgique planait sur ses lèvres.

– Cette voix est l'héritage de ta mère, fit-il.

– Comment ça ?

– Tout t'expliquer serait long et complexe. Trop long et trop complexe pour que je m'y risque maintenant.

Il jeta un coup d'œil à Shaé.

– Et certains secrets doivent le rester… Pour résumer, sache toutefois que si tu appartiens à la plus puissante des Familles, d'autres existent et ont cherché pendant des siècles à nous voler notre suprématie. Six autres Familles. Ces rivales, disparues ou très affaiblies, ne représentent aujourd'hui plus aucun danger pour nous. Cela n'a pas toujours été le cas et, il n'y a pas si longtemps, les affrontements étaient courants… et souvent sanglants.

– Quel est le rapport avec ma mère ? s'étonna Natan.

– J'y arrive. Tu sais que ton père, peu avant ta naissance, a pris ses distances avec la Famille. Tu ignores sans doute que c'est à cause de ta mère.

– Mais…
– Ta mère appartenait à une Famille rivale. Une de celles qui a causé le plus d'ennuis à la nôtre. Quand tes parents se sont rencontrés, la Famille de ta mère n'avait plus ni les moyens ni l'envie de nous nuire, mais les traditions sont coriaces. Ton père a dû choisir…

Barthélemy se tut et Natan resta un instant silencieux. Entendre ce quasi-inconnu évoquer une facette de la vie de ses parents qu'il ignorait lui faisait froid dans le dos.

– Et la voix ? demanda-t-il enfin.
– Aussi loin que l'on remonte dans le passé, chaque Famille a toujours possédé un pouvoir. Son pouvoir. Tu as dû te rendre compte que tu étais très brillant au lycée et performant en sport, non ? C'est la marque de notre Famille. Celle de ta mère a, ou plutôt avait, accès à un surprenant stock d'informations. Une sorte de mémoire ancestrale et héréditaire.
– Pourquoi avait ?
– À ce que j'en sais, tous les membres de cette Famille sont morts. Ta mère était la dernière. J'ai toujours pensé et affirmé qu'il était stupide d'exiler ton père sous prétexte que les ancêtres de ta mère avaient combattu les nôtres, mais certains parmi nous sont prisonniers de la tradition. Mes arguments sont restés vains.

Barthélemy tira un portefeuille de sa veste et en sortit une photo qu'il contempla avec émotion.

– J'étais présent lorsque tes parents se sont rencontrés. À cette époque, ton père et moi étions passionnés d'escalade et nous nous étions lancés dans une randonnée, pas très bien préparée je l'avoue, au cœur du Haut Atlas. Heureusement, nous étions accompagnés d'un guide chevronné qui a plusieurs fois évité que l'expédition ne tourne au drame. C'est ce même guide qui, un matin, a repéré une voiture coincée sur une piste escarpée, à deux doigts de basculer dans un précipice. Nous sommes intervenus juste à temps pour sauver la conductrice. C'était ta mère. Ce fut le coup de foudre mutuel et instantané entre Luc et elle. Ils ne se sont plus quittés. Regarde, c'est une photo de nous prise deux jours plus tard.

Il tendit le cliché à Natan qui s'en saisit en essayant vainement de dominer le tremblement de ses mains. Shaé se pencha par-dessus son épaule.

Ensemble, ils découvrirent trois jeunes gens bronzés et souriants devant un caravansérail.

Ensemble, ils perçurent la puissance du sentiment qui liait deux d'entre eux.

Ensemble, ils sursautèrent en reconnaissant le guide derrière les trois jeunes randonneurs.

Un petit homme basané aux yeux d'un bleu stupéfiant.

– Rafi !

4

Natan et Shaé avaient poussé la même exclamation.

– Tu le connais ? s'étonna Shaé, volant la question à Natan qui hocha la tête.

– C'est lui qui a explosé mon téléphone à l'aéroport et qui, sous prétexte de m'en procurer un autre, m'a conduit jusqu'au parking où nous nous sommes rencontrés. Et toi ?

– Pareil.

– Quoi, pareil ?

– Il m'a abandonnée sur le parking.

– Donc tu le connais.

– Non, j'avais juste échangé deux mots avec lui la veille.

Natan se passa la main dans les cheveux.

– Qui est ce type, bon sang, et comment a-t-il pu se trouver en même temps près de chez toi et à l'aéroport ?

– Pas tout à fait en même temps, le corrigea Shaé.

– C'est vrai. Il a pu t'accompagner, foncer jusqu'à l'aéroport et revenir avec moi. C'est juste mais faisable. Sauf que ça n'explique ni son comportement ni sa présence sur la photo avec mes parents.

Barthélemy avait suivi l'échange avec attention. Il toisa Natan d'un air sévère.

– Aurais-tu encore oublié de me révéler quelque chose ?

Il avait insisté sur le « encore » et Natan s'empourpra.

– Non, se défendit-il. J'ignorais que ce Rafi avait la moindre importance.

– Et pourtant il en a, rétorqua Barthélemy. Il est peut-être même la clef qui va nous permettre de déchiffrer cette énigme. Racontez-moi tout ce que vous savez de lui.

Natan obtempéra. Lorsqu'il eut fini, Barthélemy se tourna vers Shaé.

Elle n'aimait guère ses manières, mais il dégageait une telle autorité qu'obéir semblait être la seule chose raisonnable à faire. À contrecœur, elle donna sa propre version de l'histoire. Elle avait à peine achevé de parler que Barthélemy repoussa son assiette et se leva.

– Cela ne me dit rien qui vaille. J'espérais que le décès de tes parents, Natan, pourrait être attribué à une cause, sinon naturelle, du moins facilement explicable. Ce n'est pas le cas. Les Helbrumes, les Lycanthropes et maintenant ce mystérieux Rafi… Tout laisse à penser que les menaces ancestrales que l'on croyait éteintes sont à nouveau d'actualité.

– Que voulez-vous dire ? l'interrogea Natan.

Barthélemy choisit de ne pas répondre. Il désigna le plat en argent où fumait une volaille posée sur un lit de champignons.

– Mangez tranquillement et reposez-vous. Baladez-vous tant que vous voulez dans le parc, vous y êtes en sécurité, mais ne franchissez ses murs sous aucun prétexte. Suis-je clair ?

Subjugués une fois de plus par son charisme, Natan et Shaé acquiescèrent d'un signe de tête. Barthélemy leur adressa un bref sourire et s'éloigna. Il arrivait à la porte lorsqu'il se retourna.

– Ce soir, je te présenterai une partie importante de la Famille. Nous trouverons les assassins de tes parents, c'est juré, et nous nous occuperons aussi des fauteurs de troubles qui nous gênent. Tout rentrera très vite dans l'ordre.

La promesse, froide et sans âme, sonna comme une menace mortelle. Shaé sentit son sang se glacer. Bien sûr, elle ne faisait pas partie des fauteurs de troubles dont parlait Barthélemy, pourtant elle était trop fine pour ne pas avoir remarqué qu'il s'était adressé à Natan et à lui seul.

Une certitude s'imposait lentement à elle : quiconque touchait à la Famille était en danger !

Après le repas, Natan et Shaé sortirent dans le parc. Le mistral s'était calmé et, sous la température presque printanière, le thym fleuri embaumait l'air. Des hommes à la mine austère étaient postés près du portail d'entrée et sur le toit en terrasse de la villa, tandis que d'autres arpentaient le sentier courant le long du mur d'enceinte.

Deux d'entre eux faisaient partie du groupe qui avait chassé les Helbrumes, mais lorsque Natan les salua de la main ils ne répondirent pas. La bosse qui déformait leur veston à la hauteur du cœur révélait la présence d'un holster et certains tenaient à la main un fusil d'assaut.

– Ces types préparent une guerre civile ? demanda Shaé à voix basse.

Natan haussa les épaules.

– Leur armement est surprenant, d'accord, mais si des Helbrumes ou un Lycanthrope déboulent, je serai soulagé que ces hommes soient là pour les accueillir.

– Leurs fusils tirent des balles en argent ?

– Nous avons fait la preuve qu'il existait d'autres moyens de se débarrasser de ces bestioles, tu ne crois pas ?

Shaé sentit son cœur accélérer. Elle réussit cependant à se contenir.

– C'est vrai, admit-elle d'une voix plate.

Ils empruntèrent une allée carrelée descendant vers une immense piscine à débordement qui jouxtait une zone plus sauvage plantée de pins et de cades. Le bleu de la Méditerranée surgissait parfois entre les arbres, ajoutant une note argentée à celui, profond, du ciel. Shaé s'assit sur un banc.

Après une imperceptible hésitation, Natan s'installa à ses côtés.

Ce fut elle qui rompit le silence.

– Merci de n'avoir pas parlé de… de la Chose à ton oncle.

– Je ne pense pas que cela le regarde. Tu veux que nous, on en parle ?
– Non !
Elle avait crié. Porté une main devant sa bouche, pressé l'autre contre son ventre. Le fusil d'un guetteur scintilla au soleil lorsqu'il se tourna vers eux. Scintilla encore lorsqu'il reprit sa garde vigilante sur le toit.
– Non, répéta-t-elle plus calme, surtout pas.
– Comme tu veux.
Elle avala sa salive avec difficulté.
– En parler c'est admettre qu'elle existe.
– Tu sais, Shaé, ce n'est pas en niant son existence que tu la feras disparaître. Je crois que parler donne de la force à celui qui manie les mots. Je le crois vraiment, mais je n'insiste pas.
Elle prit un air buté qui dissimulait mal sa détresse.
– Tu ne sais pas de quoi tu parles, fit-elle.
Natan secoua la tête.
– Tu me sous-estimes…
Il planta ses yeux verts dans le regard noir de Shaé.
Il émanait d'elle une grâce féline envoûtante, une beauté sauvage à des années-lumière de la bête qui avait pris possession d'elle et qui la terrifiait. Natan sentait au fond de son âme qu'il pouvait l'aider.
Non, plus fort que ça.
Il savait qu'il devait l'aider.
– … et sous-estimer les gens est un vilain défaut, continua-t-il sur un ton plus grave.
– Je…
– Chut, la coupa-t-il dans un souffle. Ferme les yeux.

Elle obéit presque malgré elle.

Chacune des fibres de son corps avait conscience de la présence de Natan juste à côté d'elle.

Du visage de Natan qui se penchait vers elle.

De la bouche de Natan qui s'approchait de la sienne.

Doucement.

Elle ne bougea pas.

Leurs lèvres se frôlèrent.

– Non !

Elle avait appuyé ses mains contre son torse et l'avait repoussé si violemment qu'il faillit tomber du banc.

– Ne me… touche pas !

Sa phrase s'acheva dans un gémissement. Elle enfouit son visage entre ses mains et se recroquevilla.

Natan demeura interdit une seconde puis, doucement, afin que son geste ne soit pas mal interprété, il s'écarta.

– Je suis désolé, fit-il à voix basse.

Ils restèrent immobiles pendant un long moment. Enfin elle se redressa avec lenteur et leva la tête vers lui. Il s'attendait à des larmes, elle lui adressa un regard sombre et indéchiffrable.

– Ce n'est pas ta faute, Elle n'aime pas qu'on me touche.

5

Natan ne lui demanda pas qui était « Elle ».

Il le savait.

Il savait aussi que la Chose avait conduit sa relation avec Shaé dans une impasse. S'il voulait en sortir, il lui fallait inventer une issue. Quoi qu'il lui en coûte.

Les premiers mots furent les plus difficiles à prononcer :

– Au plus loin que je m'en souvienne, je… je n'ai jamais eu d'amis…

Puis ses phrases se fluidifièrent, s'enchaînèrent de plus en plus aisément. Très vite il parla pour lui autant que pour elle, exposant pour la première fois au grand jour des faits et des sentiments qu'il avait toujours celés.

Avec des mots simples, il évoqua sa frustration de ne jamais avoir pu établir une relation normale avec ses parents. Il raconta l'amour qu'il éprouvait pour eux, eux pour lui, et le mur qui se dressait pourtant entre eux. Un mur d'incompréhension, de rigidité éducative et, il s'en rendait compte maintenant, un mur de crainte. Il lui relata ses multiples déménagements, les copains perdus à peine découverts, sa solitude.

Sans hésiter, il lui avoua le nombre de nuits où il avait prié pour devenir un garçon comme les autres, débarrassé de ces formidables capacités physiques et intellectuelles qui lui attiraient l'animosité de ses camarades et l'obligeaient à courir le monde, fuyant un danger inconnu. Il dit sa douleur et, encore, sa solitude.

Il se tut enfin, surpris d'avoir autant parlé. Inquiet aussi.

Il tourna la tête vers Shaé et tressaillit en découvrant ses yeux noirs fixés sur lui.

Elle était émue au-delà des mots. Par la confiance qu'il lui avait témoignée en lui parlant. Par sa vie, si différente de la sienne et pourtant si semblable. Par sa force et ses faiblesses. Par son courage. Par sa solitude surtout.

Elle eut envie de se livrer à lui comme il s'était livré à elle. Parler de ses parents dont elle conservait si peu de souvenirs. Parler, surtout, de la Chose qui l'habitait et prenait le contrôle de son corps et de son esprit dès qu'une émotion trop forte l'assaillait. Parler de ses peurs, de sa certitude que le pire allait survenir. Parler de sa solitude à elle. Si terrible.

– Je… C'est… c'est pareil pour moi.

Son besoin de se confier, si intense, ne débouchait que sur une phrase lamentable. Elle en aurait pleuré de rage et de détresse. La Chose l'avait mutilée, avait détruit sa capacité à communiquer, à partager. Natan allait se détourner. Alors qu'elle discernait enfin une lueur au bout du tunnel qu'était devenue sa vie, cette lueur allait s'éteindre. Elle…

Contre toute attente, Natan ne se détourna pas. Au contraire, il sourit, esquissa un geste vers elle, geste qu'il retint avant qu'elle ait pu se raidir, sourit à nouveau, puis, tranquillement, changea de conversation.

Sur un ton léger, il évoqua ses études dans les lycées français, railla avec gentillesse ses professeurs et leurs exigences, brossa le portrait caricatural d'un proviseur obnubilé par le pourcentage de réussite au bac de son établissement, se moqua de lui-même et de ses défauts qu'il s'amusa à grossir à outrance.

Peu à peu, Shaé se décontracta.

Lorsque Natan se tut, elle relança la conversation par une remarque sur son propre lycée, et sourit quand il reprit la parole pour ne plus la lâcher. Elle ne se leurrait pas. Loin de tout égoïsme et puisqu'elle était incapable de s'exprimer, il parlait pour elle. Shaé lui en était formidablement reconnaissante.

L'après-midi s'écoula sans qu'ils s'en aperçoivent.

Conversation étrange, sous la forme d'un monologue, d'où naquirent les jalons d'une relation hors norme.

À aucun moment ils ne se touchèrent.

Ce qu'ils éprouvaient se situait bien au-delà d'un désir charnel.

Le soleil bascula derrière l'horizon et la douceur de l'après-midi ne fut plus qu'un souvenir. Malgré son pull, Shaé frissonna. Natan faillit la prendre dans ses bras, la crainte de tout gâcher le retint.

– Et dire que c'est ce vieux fou de Rafi je ne sais pas quoi qui nous a offert ça…

Phrase sibylline que Shaé décoda sans peine… Elle ressentait le même bonheur que lui.

Un bruit de pas dans leur dos les fit se retourner.

– Monsieur. Mademoiselle. Les invités sont arrivés. Si vous voulez bien vous donner la peine de rejoindre la maison.

Visage impassible, le majordome se tenait à un mètre d'eux, aussi raide que s'il avait avalé un balai. Shaé sentit un frisson de mauvais augure parcourir son dos. S'il se permettait la moindre remarque… Il n'en fut rien. Natan lui adressa un signe de tête distrait avant de le renvoyer d'un geste. Après une courbette déférente, presque obséquieuse, le majordome se retira.

– Pourquoi ne joue-t-il pas à l'important avec toi ? s'étonna Shaé.

– Qui ?

– Ben, ce type, là !

– Je n'en sais rien, répondit Natan vaguement surpris. Il n'est pas là pour jouer à l'important mais pour faire son boulot, voilà tout.

Shaé savait que la réalité était plus complexe, pourtant elle se tut.

Ils regagnèrent la villa à pas lents.

Barthélemy vint à leur rencontre, un sourire cordial plaqué sur le visage. Il les guida jusqu'à une immense salle de réception où était dressé un buffet. Une trentaine de personnes se tenaient autour, en petits groupes, bavardant avec la familiarité des gens qui se connaissent depuis toujours.

À leur arrivée, le brouhaha des conversations s'atténua avant de s'éteindre.

– Mes amis, annonça Barthélemy sur un ton solennel, je vous présente Natan, le fils unique de Luc. Natan, les hommes et les femmes qui sont devant toi représentent une infime fraction de ta Famille, mais ils tiennent dans leurs mains une bonne partie de sa puissance. Ils arrivent des quatre coins du monde pour faire ta connaissance.

Les regards pesaient sur lui si lourdement que Natan sentit ses jambes flageoler.

– Tiens-toi droit !

L'homme qui avait vociféré cet ordre traversa la pièce à grands pas pour se planter devant lui. Âgé de soixante-dix ans au moins, il était bâti comme un taureau et son visage buriné conservait les traits affirmés de ceux qui se sont battus toute leur vie.

Et qui ont gagné.

Sous sa chevelure d'un blanc éclatant, soigneusement coiffée en arrière, ses yeux verts étincelaient.

– Tiens-toi droit, petit ! Ne me fais pas regretter de m'être déplacé pour toi !

Comme mû par un ressort, Natan se redressa.

– Voilà qui est mieux. Je suis Anton…

L'éclat dans le regard du vieil homme s'intensifia.

– … ton grand-père !

Shaé contemplait la scène avec effarement.

Lorsque Barthélemy avait commencé à en parler, elle s'était demandé si la Famille de Natan, cette Famille si riche et si puissante, n'était pas tout simplement une branche de la mafia. L'argent, le secret, la quête du pouvoir, l'importance des liens du sang, les armes… tout poussait à le croire.

Shaé connaissait au moins trois des hommes présents autour du buffet pour avoir vu leur photo dans des magazines feuilletés çà et là. Des pages qu'elle avait survolées, des pages dont elle était étonnée de se souvenir. Les pages financières. Les pages politiques. Ces hommes ne partageaient pas la même nationalité, était-il possible qu'ils appartiennent à la même famille ?

Une robe pailletée au décolleté vertigineux attira son attention. La femme qui la portait et qui observait Natan avec une moue ironique n'était autre que Cindy Fraser ! Shaé en resta bouche bée. Cindy Fraser ! L'actrice qui avait traversé les tempêtes du cinéma américain sans perdre son public ni prendre une ride. Une légende. Se pouvait-il qu'elle…

– Tu devrais fermer la bouche, tu ressembles à un poisson rouge un peu stupide.

Shaé sursauta.

La fille qui lui faisait face avait son âge. Vêtue d'une élégante robe de soirée moirée qui devait coûter une fortune, elle était très belle. Une beauté sensuelle que mettait en valeur la cascade de boucles blondes encadrant artistiquement son visage angélique. Elle sourit à Shaé, dévoilant une dentition parfaite.

– Je dis ça pour toi, tu sais. Les gens sont si prompts à se forger une opinion. Autant se débrouiller pour qu'elle soit bonne dès le premier coup d'œil, tu ne crois pas ? Je m'appelle Enola, je suis la fille de Barthélemy.

6

« Je suis ton grand-père ! »

La phrase résonna longuement dans l'esprit de Natan. Il avait un grand-père !

– Tu ressembles à Luc… Mon fils…

La voix du vieil homme avait vacillé. Une fraction de seconde. Le temps qu'il se reprenne.

– Mon fils tel qu'il était dans sa jeunesse, avant qu'il devienne une lavette stupide et sentimentale !

Natan écarquilla les yeux. Son père, une lavette stupide et sentimentale ? L'image était si grotesque, si éloignée de la réalité, qu'il faillit éclater de rire. S'il se contint, ce fut parce qu'il refusait à quiconque le droit de bafouer la mémoire de ses parents.

– Mon père était un homme remarquable et je suis fier d'être son fils.

Il avait parlé avec force. Anton le toisa, dédaigneux.

– Phrase creuse.

– Peut-être, rétorqua Natan, mais je l'assume car elle est vraie.

– Phrase creuse tout de même !

– C'est sans doute pour cette raison que je n'ai jamais entendu mon père la prononcer !

Les rares conversations s'éteignirent, les souffles se suspendirent. Une tension presque palpable courut sur l'assemblée figée dans l'expectative.

– Dein Vater war lose !

Anton avait aboyé, faisant reculer d'un pas les plus proches spectateurs. Natan ne broncha pas.

– Mein Vater war ein bemerkenswerter Mann, und ich bin stolz seinen Sohn zu sein, répliqua-t-il sur un ton ferme.

Le teint du vieil homme vira au rouge.

– ¡Repite lo que acabas de decir !

– Mi padre era un hombre admirable y estoy muy orgulloso de ser su hijo.

Aucune trace de crainte dans la voix de Natan. Si ce vieillard prétentieux pensait l'impressionner en étalant sa connaissance des langues, il se trompait. Anton haussa le ton jusqu'à hurler.

– Upprepa det du precis sa !

– Min far var en enastående man och jag är stolt över att vara hans son ! Mon père était un homme remarquable et je suis fier d'être son fils. Je peux encore vous le dire en anglais, en japonais et même en russe si ça vous amuse. En revanche, je ne sais pas parler le serbe ou le coréen, mais cela ne change rien à ce que je pense : mon père était un homme remarquable et je suis fier d'être son fils !

Natan prit conscience de ses poings serrés et se contraignit à les ouvrir. Ses doigts craquèrent en se dépliant, et ce bruit sec résonna étrangement dans le silence que sa tirade avait provoqué.

Un tic nerveux agitait la paupière de son grand-père et, malgré sa certitude d'être dans le vrai, Natan se demanda s'il n'avait pas franchi une invisible et dangereuse frontière. Il était toutefois hors de question qu'il se rétracte, et il était prêt à envoyer sa nouvelle famille au diable si on exigeait de lui qu'il renie ses parents.

Après un interminable regard qui donna l'impression à Natan de passer un scanner, Anton ouvrit la bouche. Son petit-fils se crispa, pourtant, à son immense surprise, ce ne fut pas une imprécation qui jaillit des lèvres du vieillard mais un rire énorme. Un rire franc et bruyant qui balaya la tension de l'assemblée comme un ouragan balaie les nuages.

– Bon sang ne saurait mentir ! s'exclama Anton lorsqu'il se fut un peu calmé. J'aime les jeunes qui ont des convictions et qui les défendent. Approche, que je te présente à la Famille.

Il saisit affectueusement par le bras un Natan éberlué et l'entraîna vers les témoins de leur joute orale.

– Ce garçon vient prendre sa place. Je compte sur vous pour l'accueillir comme il le mérite. Natan, voici Paolo. C'est un cousin au troisième degré par l'oncle de ta grand-mère Élise. C'est aussi le propriétaire de la moitié des gisements de nickel du monde et le premier producteur de café d'Amérique du Sud.

Paolo, un homme sec et basané d'une cinquantaine d'années, serra la main que lui tendait Natan.

– Sois le bienvenu. Je suis heureux que la lignée d'Anton ressurgisse. J'espère que tu me feras l'honneur et le plaisir de me rendre visite en Colombie.

S'il s'exprimait avec un accent espagnol marqué, sa syntaxe était parfaite. Natan s'apprêtait à répondre, mais déjà son grand-père l'entraînait vers un autre membre de la Famille.

Très vite, Natan fut perdu. Impossible de retenir quoi que ce soit sur ces gens qui lui étaient présentés par leur prénom, leur fonction et un rapide résumé généalogique. Il essaya bien de mémoriser l'ensemble mais, à la dixième personne, une certaine Noura, belle-sœur de la cousine de l'oncle Tajiro et redoutable banquière spécialisée dans les investissements pétroliers, il renonça. Il se contenta de donner des poignées de main et de sourire aux paroles de bienvenue.

À ses côtés, Anton pavoisait, parfait dans le rôle du grand-père comblé par le retour du petit-fils prodigue. Pourtant, malgré son aspect débonnaire ses yeux verts ne souriaient pas et, à chaque nouvelle personne qui saluait Natan, ils semblaient adresser un silencieux message d'avertissement.

Les conversations avaient repris et Natan se retrouva bientôt avec une coupe de champagne à la main. Le majordome circulait entre les groupes, un plateau chargé d'appétissants canapés à la main. Lorsque Natan refusa de se servir, Anton le gourmanda.

– Mange, mon petit. Nous avons une longue soirée de travail devant nous et tu dois être en forme.

– Du travail ?

Anton planta son regard dans celui de son petit-fils.

– Crois-tu que j'envisage de laisser la mort de Luc impunie ? Je n'étais pas d'accord avec lui et j'ai tout fait pour l'empêcher de suivre la voie qu'il avait choisie. Je n'ai pas hésité à le déshériter et je recommencerais s'il le fallait, mais c'était mon fils. Mon fils unique. Oui, nous allons travailler, et nous ne cesserons que lorsque cette histoire sera réglée.

Il n'y avait aucun doute sur la manière dont le vieil homme prévoyait de régler l'histoire en question, et Natan frissonna.

– Il faut d'abord qu'il passe une porte, intervint une femme aux cheveux gris et à la peau très pâle. Cousine Olga ? Tante Daphné ?

– Au diable tes portes, Ghislaine ! la rabroua Anton.

– C'est la règle, rétorqua Ghislaine sans se démonter, tu dois la respecter et tu le sais aussi bien que moi.

– Satanée bonne femme, ronchonna Anton. Crois-tu vraiment que mon petit-fils sera incapable de passer une porte ?

– C'est la règle.

– Parfait.

Anton héla Barthélemy.

– Barthélemy, nous avons besoin de toi. Puisque Ghislaine s'est crue obligée de nous rappeler la règle et que nul ne peut y déroger, nous allons perdre notre temps à descendre dans tes souterrains. Viens, Natan.

Natan eut soudain l'impression d'avoir raté un épisode. De quelle porte s'agissait-il et que diable allait-il faire dans des souterrains ? Bizarrement, personne autour de lui ne semblait trouver la situation anormale, ce qui le rassura un peu. Il devait s'agir d'une coutume familiale singulière. Il était toutefois hors de question de provoquer un nouvel esclandre ou de paraître discourtois en se montrant trop curieux, il ne pouvait qu'obtempérer en silence.

Avant de quitter la pièce, il chercha Shaé du regard. Pris dans le tourbillon des présentations, il l'avait oubliée. Il l'aperçut en grande discussion avec une jeune fille blonde qu'il n'avait pas eu l'occasion de saluer, si absorbée par leur échange qu'elle ne vit pas le geste de la main qu'il lui adressa.

Rassuré sur son sort, il suivit Anton et Barthélemy.

7

Barthélemy en tête, ils empruntèrent un escalier escarpé aux marches glissantes qui s'enfonçait dans le sous-sol rocheux.

– La maison a été construite sur un puits d'accès à un réseau de grottes qui s'étend sous la colline du Roucas-Blanc, expliqua-t-il à Natan. Il y a plus de cinquante kilomètres de galeries et des centaines de salles. Des archéologues de la Famille y ont retrouvé des traces de présence humaine datant de l'Antiquité et même de la préhistoire.

– Je croyais que les hommes préhistoriques ne s'éloignaient jamais vraiment de la lumière du jour, s'étonna Natan.

– Il y avait d'autres entrées.

– Il y avait ?

– La maison appartient à mes ancêtres depuis la création de Marseille. Les entrées que nous ne contrôlons pas ont été bouchées il y a des siècles de cela.

Ils venaient de pénétrer dans une salle immense dont une moitié seulement était maçonnée. Le mur opposé à l'entrée était une paroi rocheuse naturelle, comme le plafond d'où pendaient de remarquables concrétions aux formes arrondies mises en évidence par un puissant éclairage.

Alors qu'Anton continuait à avancer, Barthélemy marqua une pause pour laisser à Natan le loisir d'apprécier le spectacle, puis il désigna un nombre impressionnant de caisses de bois ou de métal empilées dans un coin et, à une vingtaine de mètres d'eux, une étendue d'eau sombre qui clapotait doucement.

– Une partie des archives de la Famille, fit Barthélemy en désignant les caisses, et là, la mer. Nous sommes au niveau de la surface.

– Ce bassin communique avec l'extérieur ? demanda Natan.

À son grand étonnement, avant de répondre, Barthélemy jeta un discret coup d'œil pour vérifier qu'Anton ne pouvait l'entendre.

– Oui, par un boyau long d'un peu plus de trois kilomètres qui débouche près des îles du Frioul. Il y a des scaphandres autonomes entretenus avec soin dans ce coffre. Le cas échéant, ils permettent d'effectuer le trajet.

– Une issue de secours ?

– En quelque sorte. Nous vivons une période calme, mais tel n'a pas toujours été le cas. Et comme rien n'est jamais acquis, je n'ai dévoilé à quasiment personne l'existence de ce tunnel.

Anton revint vers eux.

– Si nous avancions ?

Barthélemy opina et guida ses deux compagnons à travers la salle jusqu'à un couloir dans lequel ils s'engagèrent. Haut de trois ou quatre mètres, il était éclairé par de grosses ampoules installées à intervalles rapprochés. Le sol de pierre, poli par le passage, présentait une surface légèrement concave. Natan frémit en imaginant le nombre d'années nécessaires pour parvenir à un tel résultat.

Le nombre de siècles.

Une nouvelle salle s'ouvrait à l'extrémité du couloir. Barthélemy s'arrêta avant de l'atteindre et s'adossa à un mur. Anton se tourna vers Natan.

– C'est là.

Natan jeta un coup d'œil autour de lui. Les parois du boyau ne présentaient aucune particularité, le sol était le même partout, la lumière aussi.

– Je… Que voulez-vous dire ?

Anton haussa les sourcils, un air contrarié se peignit sur son visage.

– Ouvre la porte !

– La porte ?

Une nouvelle fois, Natan avait l'impression que sa vie dérapait, s'éloignant de la réalité dans une glissade incontrôlée.

Anton serra les dents.

– Tu ne la vois pas ?

– Je ne distingue rien. Enfin… je ne distingue pas de porte.

– Vraiment ? s'emporta Anton. Es-tu réellement celui que tu prétends être ?

– C'est fréquent lors du premier passage, le tempéra Barthélemy. Il n'y a rien d'inquiétant à cela.

Il s'adressa à Natan.

– Regarde cette paroi. Un peu plus à gauche. Là. Concentre-toi. Non, ne tourne pas la tête, concentre-toi. Que discernes-tu ?

– Ben… Rien. Qu'est-ce que…

– Je t'ai dit de ne pas tourner la tête ! Concentre-toi, essaie de voir au-delà des formes, au-delà de la réalité.

– Je ne…

Natan se tut. Alors qu'une seconde plus tôt il avait sous les yeux une surface rocheuse uniforme, il distinguait désormais une forme rectangulaire. Haute de deux mètres et large d'un, en bois, des gonds, une poignée…

Une porte !

Comment diable ne l'avait-il pas repérée plus tôt ?

Anton ne se trompa pas à sa mimique ébahie.

– C'est bien, petit. Je savais que tu en étais capable. Ouvre-la !

Avec une infime hésitation, Natan posa la main sur la poignée. Elle était lisse et froide, très ancienne. Pourtant elle joua à la perfection lorsqu'il appuya dessus. Avec un chuintement discret, la porte s'ouvrit.

Un flot de lumière se déversa dans le souterrain.

– Alors, c'est toi la fille qu'a ramassée mon cousin ?

Shaé sentit un flot de rage bouillonner en elle. En trois phrases, Enola l'avait humiliée trois fois. Trois flèches parfaitement ajustées qui ne lui avaient laissé aucune possibilité de répliquer, tant sa malveillance était efficace. Ses mots frappaient fort, très fort, tandis que son sourire candide et son apparence de demoiselle de bonne famille la protégeaient avec l'efficacité d'une armure d'acier.

Par un monumental effort de volonté, Shaé se contraignit à ne pas lui balancer son poing en pleine figure. Elle ne se trouvait pas dans son quartier face aux insultes d'une délinquante, les réflexes qui si souvent lui avaient permis de se tirer d'affaire étaient proscrits ici. Et, plus que tout, elle était persuadée qu'Enola n'attendait qu'un faux pas de sa part pour l'achever.

Elle n'avait aucune intention de lui faire ce plaisir.

– Il… il m'a donné un coup de main… en effet.

À peine avait-elle parlé que Shaé se mordit les lèvres. Pourquoi donc ses phrases sonnaient-elles de façon aussi lamentable ? Elle aurait dû se taire. C'était la seule attitude raisonnable lorsqu'on s'exprimait comme une crétine.

Enola ficha son regard bleu ciel dans le sien.

– Un coup de main ? Comme c'est… romantique.

Shaé détourna la tête.

Ne pas la regarder.

Surtout ne pas la regarder.

Ou elle ne répondait de rien.

Du coin de l'œil, elle aperçut Natan qui s'éloignait. Shaé sursauta. Il n'allait pas la laisser tout de même ? L'abandonner aux griffes de cette fille qui se moquait d'elle ? Dans cette famille tordue où les grands-pères accueillaient leur petit-fils en vociférant ?

Sans réfléchir, elle planta Enola et se fraya un passage au travers de groupes d'hommes en costume et de femmes en robe de soirée qui ne lui prêtaient aucune attention et atteignit la porte par laquelle Natan était sorti. Un couloir lumineux aux murs couverts de mosaïques s'ouvrait devant elle.

Shaé s'y engagea.

Elle progressa sur une dizaine de mètres avant d'entendre un bruit de conversation qui approchait. Des voix féminines.

Shaé craignit d'être surprise. Elle n'appartenait pas à la Famille, elle n'avait rien à faire à cet endroit. Si on l'accusait de vol ou de n'importe quel autre délit, elle serait incapable de se défendre. Elle chercha une cachette des yeux.

En vain.

Deux silhouettes se profilèrent à l'extrémité du couloir.

Avant qu'elles ne la remarquent, Shaé poussa une porte au hasard et referma le battant derrière elle. Elle se trouvait au sommet d'un étroit escalier qui s'enfonçait dans le sous-sol de la villa. Malgré les ampoules qui balisaient la descente, l'endroit dégageait une atmosphère angoissante, faite d'humidité et de ténèbres. Shaé s'apprêtait à ressortir lorsque la Chose frémit en elle. Un frémissement étrange. Différent de ceux qui avaient précédé leurs innombrables affrontements. Un frémissement…

… amical.

Au même instant, une odeur parvint à ses narines. Légère. Presque imperceptible.

Et pourtant elle la sentait.

L'odeur de Natan !

Il avait emprunté cet escalier. Shaé en avait la certitude absolue.

Sans se poser davantage de questions, consciente qu'elle commettait sûrement une bêtise, incapable pourtant de s'en empêcher, elle entama sa descente.

Il lui fallut cinq bonnes minutes pour atteindre la dernière marche. Une salle immense s'ouvrait devant elle, un empilement de caisses sur sa gauche, une étendue d'eau noire peu engageante sur sa droite.

L'odeur était toujours présente.

Plus forte. Plus précise. Accompagnée d'une multitude d'effluves.

Parmi ces parfums, Shaé reconnut l'eau de toilette de Barthélemy et la lotion capillaire d'Anton. Elle n'avait pas approché ce dernier à moins de dix mètres, pourtant une évidence pulsait en elle : le matin même, il avait vaporisé sur ses cheveux un produit à base de menthe et de baies de palmier nain. Cette odeur se mêlait à celle, plus intime, qui se dégageait de chacune de ses cellules, formant une combinaison unique. Une deuxième évidence naquit en elle : elle saurait désormais le reconnaître les yeux fermés dans la nuit la plus noire !

Cette pensée lui tira un sourire satisfait qui fit étinceler ses dents.

Chacun de ses muscles jouant à la perfection, elle traversa la salle et s'engagea dans un nouveau couloir. Aussi silencieuse qu'un rêve oublié.

Trois pas.

Elle s’arrêta.

Une porte se découpait sur le mur de droite. Elle était fermée, habilement dissimulée, conçue pour rester invisible, pourtant il était impossible de la rater.

La lumière bleue qui en irradiait aurait attiré un aveugle !

8

Natan s'était habitué à la pénombre du souterrain. La lumière vive régnant sur la pièce devant lui l'éblouit, l'obligeant à cligner des yeux.

Une lumière naturelle. Blanche et pure.

La lumière du jour !

Natan tressaillit. La lumière du jour ? Alors qu'ils se trouvaient sous terre ? Et que le soleil était couché depuis plus d'une heure ? Impossible !

Il n'y avait pourtant aucun doute. La clarté qui se répandait dans le couloir par la porte grande ouverte était bien celle du soleil.

Attiré par la même force qui hypnotise les insectes et les pousse à se jeter dans les flammes, Natan fit un pas en avant.

Il se trouvait au seuil d'une pièce de dimensions moyennes, lambrissée de bois rouge, avec pour tout mobilier une commode aux lignes sinueuses et une unique chaise au dossier cassé.

La lumière entrait à flots par une large fenêtre en ogive qui laissait distinguer une étendue herbeuse s'étirant jusqu'à l'horizon, à peine marquée par d'infimes ondulations de terrain.

Ce fut la vision de cette plaine verdoyante qui acheva de convaincre Natan que sa vie continuait à déraper. S'il lui était possible de se leurrer sur l'heure ou la profondeur à laquelle il se trouvait, découvrir un tel paysage à moins de cinq cents kilomètres de Marseille était impossible.

Il se tourna vers ses compagnons, quêtant un renseignement, un indice…

Un soutien.

Ils lui retournèrent un regard impassible.

– Où sommes-nous ? s'enquit-il.

Anton lui sourit. Un sourire empli de fierté.

– Bienvenue dans la Maison, fiston !

– La maison ?

– La Maison dans l'Ailleurs.

– Qu'est-ce que…

– Le temps des questions viendra plus tard, le coupa son grand-père. La règle veut que chaque membre de la Famille démontre son aptitude à pénétrer dans la Maison. La coutume requiert que la première visite s'effectue dans le recueillement, avec donc un minimum de paroles. Tu peux avancer, tu ne risques rien.

Natan obtempéra.

Pas moins de neuf portes lui faisaient face. Après avoir jeté un coup d'œil par la fenêtre, Natan s'approcha de l'une d'entre elles. D'aspect rustique elle ne comportait pas de serrure, pourtant elle refusa de s'ouvrir lorsqu'il appuya sur la poignée. Natan testa les autres. Une seule n'était pas verrouillée. Il l'emprunta.

Un couloir rectiligne filait à gauche et à droite sur une cinquantaine de mètres, puis chaque branche se divisait en deux. Une multitude de portes ponctuaient les murs, certaines ouvertes sur des pièces donnant accès à d'autres pièces, la plupart fermées.

– C'est une maison ou un labyrinthe ? murmura Natan impressionné et un peu inquiet.

Barthélemy posa une main apaisante sur son épaule.

– Quelques membres de la Famille ont, paraît-il, visité la Maison entière, mais ils sont rares. Ce qui est certain c'est que nombre d'entre nous s'y sont perdus. Jamais de manière définitive, rassure-toi. Pour ma part, j'y ai erré une fois pendant trois jours avant de retrouver ma porte.

– Ta porte ?

– Barth, gronda Anton, laisse-le découvrir la Maison en paix !

– Je croyais que pour toi cette exploration était une perte de temps…

– J'ai juste dit que ce n'était pas le moment. Nous avions, à mon avis, des choses plus urgentes à régler, mais puisque nous sommes ici autant jouer le jeu jusqu'au bout. Avance, Natan, tu ne peux pas te perdre tant que nous sommes avec toi. Laisse ton intuition guider tes pas. Laisse la Maison te surprendre.

Barthélemy s'effaça, et Natan reprit sa progression. Il n'y avait pas l'électricité dans les pièces et les couloirs qu'il traversait, la seule lumière provenait du jour qui pénétrait dans la maison par les multiples fenêtres. Compte tenu de la taille de l'édifice, toutes les pièces ne pouvaient être éclairées directement mais, même dans les plus obscures, Natan aperçut des portes.

La Maison comportait des centaines de portes !

Des centaines de portes qui, pour la plupart, serrure ou pas, refusaient de s'ouvrir, l'obligeant à emprunter les rares qui n'étaient pas verrouillées.

Il n'y avait aucun signe de présence humaine, le mobilier était quasi inexistant et la Maison n'en finissait pas. Pendant une folle seconde, Natan envisagea qu'elle n'eût pas de limites, puis il se ravisa. La bâtisse était bien assez étrange sans qu'il ait besoin d'en rajouter.

Il s'engagea enfin dans un couloir plus large que ceux qu'il avait déjà parcourus. Il ignora un escalier qui s'élançait vers les hauteurs et entra dans une salle dix fois plus vaste que la plus grande traversée jusqu'à présent. C'était toutefois la moindre de ses particularités. Elle était abondamment meublée, surchargée de meubles même, et, surtout, elle donnait sur l'extérieur par une immense porte-fenêtre permettant d'accéder à une terrasse.

Natan s'y précipita.

Une fois dehors, il découvrit enfin la Maison dans son ensemble. Le souffle lui manqua.

Elle s'élevait sur quatre ou cinq étages, assemblage hétéroclite de toits d'ardoise et de façades en décrochements, de gargouilles et de chiens-assis, de balcons branlants et de voûtes fragiles, de murs de pierre sombre et de fenêtres à croisillons, de piliers ouvragés et d'auvents de tuiles… Un monumental puzzle dont les pièces auraient surgi d'une multitude de lieux et d'autant d'époques, le rêve concrétisé d'un bâtisseur fou ou l'émanation des délires architecturaux d'une horde de constructeurs niant toute limite à leur art.

Et autour de la Maison…

Rien.

Un océan de verdure s'étirant jusqu'à l'horizon, où que se posât le regard. Pas un arbre, pas un buisson, pas un animal, une fleur ou un simple papillon.

De l'herbe. De l'herbe et encore de l'herbe.

La terrasse, de belle taille, était constituée de blocs de granit équarris et parfaitement ajustés. Elle dominait la prairie d'un mètre seulement et se prolongeait par une allée faite des mêmes blocs de pierre, allée qui s'enfonçait dans l'herbe comme une jetée dans l'océan.

Cette jetée aux arêtes érodées par le temps filait, rectiligne, sur une centaine de mètres puis s'arrêtait net. L'herbe reprenait alors ses droits et les conservait à perte de vue.

Un vent léger et régulier poussait quelques nuages nonchalants vers ce qui devait être l'ouest, profitant de l'occasion pour dessiner des arabesques émeraude dans le vert brillant de la prairie.

Natan se tourna vers ses compagnons qui se tenaient debout derrière lui et l'observaient en silence.

– Mais où sommes-nous ? balbutia-t-il.

9

Le passeport, établi au nom de João Bousca, était valide, tout comme la carte grise de la longue voiture sombre immatriculée en région parisienne. Le permis de conduire du conducteur semblait également en règle, pour autant qu'un policier marseillais soit capable de décrypter un document brésilien, pourtant le policier avait le sentiment diffus que quelque chose clochait.

– Sortez de votre véhicule, s'il vous plaît.

La portière s'ouvrit, João Bousca descendit.

Le policier retint son souffle. Ce type mesurait au moins deux mètres et devait peser cent cinquante kilos. Des kilos de muscles sur une carcasse digne d'un gladiateur romain. Impressionnant.

– J'aimerais voir l'intérieur de votre coffre. Simple vérification.

Le colosse brésilien ajusta ses lunettes de soleil et fit le tour de la voiture. Il se déplaçait avec une vivacité de chat que sa corpulence ne laissait pas présager, et chacun de ses gestes était empreint d'une fluidité étonnante. Il n'avait pas encore dit un mot.

L'impression de danger se cristallisa.

Presque malgré lui, le policier défit l'attache de sécurité de son arme de service et prit du champ pour que son regard englobe à la fois l'arrière de la voiture et le Brésilien.

Le coffre était vide.

Le policier poussa un discret soupir de soulagement. Il regretta aussitôt cette marque de faiblesse et chercha à reprendre l'avantage.

– Vous pourriez ôter vos lunettes de soleil.

L'homme ne bougea pas. La tension ressurgit. Comme un coup de fouet.

– Ôtez vos lunettes !

João Bousca obéit. Ses doigts énormes se posèrent sur les branches de ses lunettes et il les releva d'un geste mesuré avant de braquer son regard sur le policier. Celui-ci ne put retenir un cri de surprise.

Les yeux du Brésilien étaient deux globes d'obscurité.

Pas de blanc, d'iris ou de pupilles.

Du noir.

Aussi profond qu'un cauchemar.

– Qu'est-ce que… balbutia le policier.

– Une maladie, fit João Bousca.

Sa voix était basse, sans trace d'un quelconque accent.

– Une maladie que j'ai attrapée lors d'une expédition en Amazonie. Ne vous faites aucun souci, elle n'est pas… contagieuse.

10

– La Maison dans l'Ailleurs !

La voix d'Anton avait résonné avec autant de fierté que s'il avait construit de ses mains la prodigieuse bâtisse, mais il n'offrit aucun autre renseignement à Natan. Celui-ci comprit que s'il voulait des réponses, il lui faudrait poser des questions précises.

Plus facile à dire qu'à faire, les questions se bousculaient dans son esprit et il ignorait par laquelle débuter.

– Où se trouve cet… Ailleurs ? demanda-t-il enfin.

– Nous l'ignorons, répondit son grand-père. Nul ne s'est jamais aventuré au-delà de l'extrémité de la jetée.

– Pourquoi ?

– Ne bouge pas.

En trois pas Barthélemy gagna la grande salle. Il revint, une chaise à la main, et s'approcha du bord de la terrasse.

– Nous évitons habituellement ce genre de démonstration, mais aujourd'hui elle me paraît nécessaire. Regarde.

D'un geste rapide, Barthélemy lança la chaise dans l'herbe. Elle s'y enfonça d'une trentaine de centimètres et ne bougea plus.

– Qu'est-ce que…
– Regarde, je t'ai dit !
Autour de la chaise, l'herbe frissonna. Natan crut voir une tige verte s'enrouler autour d'un des pieds en bois, puis il y eut un craquement. La chaise s'affaissa.
La suite se déroula très vite. L'herbe se mit à croître à une vitesse hallucinante, des tiges grasses munies de vrilles acérées se déplièrent, fouettèrent l'air. En quelques secondes, la chaise fut ensevelie sous une masse végétale agitée de soubresauts. Une série de crissements sinistres et il n'y eut plus qu'une vague butte verte qui ne tarda pas à se résorber.
Il ne restait rien de la chaise.
– Ça dissuade d'y faire des galipettes, non ? lança Anton. Et, avant que tu poses la question, oui cette fichue herbe dévore tout. Bois, plastique, métal, chair humaine… rien ne lui résiste. Autant dire que l'exploration de l'Ailleurs n'est pas pour demain.
Natan se força à détourner son attention de l'endroit où la chaise avait disparu.
– Qui a construit cette Maison ?
– Une des Familles.
– Je ne comprends rien.
Anton le prit par le bras et le guida à l'intérieur jusqu'à un fauteuil dans lequel il le força à s'asseoir. Il s'installa ensuite face à lui tandis que Barthélemy demeurait debout.
– Je vais te brosser un rapide tableau de la Famille ou plutôt des Familles, commença le vieil homme. Leurs origines se perdent dans la nuit des temps, et savoir laquelle est la plus ancienne a longtemps été source de controverses et d'affrontements. Tout cela est du

passé désormais puisque, la nôtre mise à part, elles ont quasiment disparu. Barth t'a révélé que chaque Famille détenait un pouvoir. Il y avait les Bâtisseurs, les Métamorphes, les Guérisseurs, les Mnésiques – la Famille de ta mère –, les Scholiastes, et nous.

– Ça ne fait que six, remarqua Natan.

– La septième Famille n'a jamais vraiment mérité son rang. Faibles, lâches, ses membres ont été les premiers à disparaître. Avec suffisance, ils se nommaient les Guides.

– Et les pouvoirs des Familles ?

– Les Bâtisseurs ont construit cette Maison et les portes qui y conduisent. Ils ont également ouvert des voies vers d'autres lieux, mais ces chemins sont depuis longtemps tombés dans l'oubli. Les Métamorphes, eux, maîtrisaient l'art complexe de la transformation et les Guérisseurs, comme leur nom l'indique, possédaient d'étonnantes capacités de guérison. Tu connais le pouvoir des Mnésiques, puisque tu le détiens. Quant aux Scholiastes, ils étaient capables d'apprendre, ou plutôt d'intégrer et de reproduire tout ce qu'ils voyaient. Les derniers Scholiastes ont disparu il y a des siècles, tout comme les Bâtisseurs et les Guérisseurs.

– À cause des autres Familles ?

– En partie. Nos intérêts ont souvent divergé, c'est vrai, et nous nous sommes affrontés à de multiples reprises, mais les Familles ont aussi vécu de longues périodes de paix. Des documents anciens conservés dans une section spécialisée de la bibliothèque de Valenciennes évoquent même, dit-on, un temps où les Familles œuvraient ensemble à des buts communs. Fariboles selon moi.

Le regard d'Anton se durcit.

– Quoi qu'il en soit, certains ont profité de ces périodes de paix pour unir leurs sangs, leurs gènes et leurs destinées. Tu es bien placé pour le savoir…

Il ne laissa pas le temps à Natan de réagir et poursuivit :

– Ces unions contre nature ont toujours été très rares, heureusement !

– Vous ne croyez pas que…

– Taisez-vous !

Barthélemy venait de leur intimer le silence sur un ton qui ne souffrait aucune réplique. La tête inclinée, les yeux mi-clos, il écoutait le silence de la Maison avec une concentration totale.

Puis il s'élança.

Natan avait beau ne rien ignorer des performances dont est capable le corps humain, et être lui-même coutumier de prouesses physiques étonnantes, il resta pantois devant le déchaînement de puissance de Barthélemy.

En une fraction de seconde celui-ci atteignit une vitesse sidérante. Il bondit par-dessus un canapé, évita un fauteuil d'un mouvement fluide, continua à accélérer, et pénétra en trombe dans le couloir où il disparut.

– Ne restons pas là !

Anton avait parlé d'une voix dure. Sans appel. Il se leva avec une souplesse qui démentait son âge et saisit Natan par le bras.

– Viens !

– Que se passe-t-il ?

– Je l'ignore, mais si Barth a décelé un problème, c'est qu'il y a un problème. Nous devons quitter la Maison.

– Je croyais que nous étions en sécurité, l'interpella Natan.

– C'est aussi ce que pensaient tes parents, rétorqua Anton. Ils en sont morts. Suis-moi.

Ils reprirent en sens inverse le chemin parcouru à l'aller. Anton se déplaçait avec prudence, tous ses sens en éveil, bien loin de l'image de vieillard acrimonieux qu'il avait donnée jusqu'alors. Il ressemblait davantage à un vieux fauve plein d'expérience et Natan ne put s'empêcher d'imaginer le cumul d'aventures qui avait construit cette prestance.

Ils approchaient de la pièce lambrissée de rouge lorsque Barthélemy les rejoignit. Si Anton était un vieux fauve, Barthélemy était un prédateur dans la force de l'âge. Lorsqu'il surgit, sans un bruit, tout en puissance ramassée, Natan sursauta, brusquement effrayé par cet oncle étrange qui ravalait ses propres talents au rang d'enfantillages.

– Quelqu'un nous écoutait, fit Barthélemy. Quelqu'un de rapide. Je n'ai pas réussi à le rattraper.

– Un membre de la Famille qui aurait utilisé ta porte ? suggéra Anton.

– Pourquoi, dans ce cas, aurait-il cherché à se dissimuler ?

– C'est la deuxième fois que vous parlez de la porte de Barthélemy, intervint Natan. Qu'est-ce que cela signifie ?

– Il existe d'innombrables portes pour sortir de la Maison, lui expliqua Anton, mais elles ne sont accessibles qu'à ceux qui les ont utilisées au moins une fois pour y entrer. La Famille sait en utiliser une vingtaine, dont celle qui se trouve sous la maison de Barth.

Les autres sont dissimulées un peu partout dans le monde, hors de notre portée et de notre savoir.

– Je ne comprends pas vraiment, insista Natan.

Barthélemy prit la parole :

– Les Bâtisseurs ont créé mille sept cent sept portes. Mille sept cents d'entre elles, les portes de bois, furent offertes aux autres Familles à une époque où la paix régnait entre nous. Elles permettent d'entrer et de sortir de la Maison, avec la restriction dont vient de te parler ton grand-père. Les sept portes restantes, les portes de fer, conduisaient ailleurs, dans des lieux inconnus et menaçants dont nous ne savons plus rien. Seuls les Bâtisseurs pouvaient les emprunter et le secret de ces portes est mort avec eux.

– Et l'espion ? risqua Natan.

– J'imagine mal qu'un membre de notre Famille s'amuse à nous espionner. Et comme les portes de notre réseau sont sous haute surveillance, celui qui s'est glissé dans la Maison en a obligatoirement utilisé une autre.

Natan n'eut qu'à ficher son regard dans celui de Barthélemy pour qu'il poursuive d'une voix aussi froide que la mort :

– La guerre entre les Familles a repris !

11

Natan avait eu l'impression de rester longtemps dans la Maison.

Très longtemps.

Il fut donc surpris de constater en retrouvant la nuit marseillaise que moins d'une heure s'était écoulée. Les membres de sa Famille – il devait s'habituer à les nommer ainsi – se tenaient toujours près du buffet et les conversations, dans quatre ou cinq langues différentes, allaient bon train.

Son retour ne passa toutefois pas inaperçu. Les échanges décrurent, avant de s'éteindre doucement. Les regards se portèrent sur lui, interrogateurs. La première, Ghislaine rompit le silence.

– Qu'a donné le passage ?

– Il a emprunté la porte de Barthélemy sans difficulté, annonça Anton, et il a trouvé la terrasse et la jetée.

Natan s'attendait à tout sauf à l'ovation qui s'éleva. Un concert d'applaudissements chaleureux mêlés d'acclamations enthousiastes qui se prolongea une longue minute. Cousins, oncles, tantes, se pressèrent autour de lui pour le féliciter.

– Bravo ! s'exclama Paolo tandis que Tajiro lui broyait l'épaule d'une poigne de fer. J'ai très peu connu Luc, mais je suis certain qu'il serait fier de toi.

– Excellent travail, mon petit, lui susurra Noura à l'oreille.

– J'étais sûr que tu réussirais, tu es le portrait de ton père !

– Mes compliments, jeune homme. Voici une affaire rondement menée !

Il fallut un bon moment à Natan pour se dégager. Lorsqu'il y parvint, il chercha Shaé des yeux.

– Elle est dehors, souffla une voix dans son dos. Elle ne m'a pas paru très à l'aise parmi nous. Question de milieu sans doute...

Natan se retourna. La jeune fille blonde qu'il avait remarquée un peu plus tôt se tenait près de lui. Elle le gratifia d'un sourire éclatant avant de poursuivre :

– Je m'appelle Enola. Je suis la fille de Barthélemy, et donc ta cousine. Te rends-tu compte qu'il y a dans cette pièce les vingt plus grosses fortunes du monde et qu'elles sont là en ton honneur ? Impressionnant, non ?

– Où ?

– Pardon ?

– Tu viens de dire que Shaé était dehors. Je te demande où.

Le sourire d'Enola se figea tandis que le bleu de ses yeux prenait la froideur de la glace.

– Aucune idée.

Elle tourna les talons avec un mouvement de menton dédaigneux et s'éloigna la tête haute.

Natan ne lui accorda pas la moindre attention. Il se dirigeait vers la porte-fenêtre lorsque Barthélemy lui saisit le bras.

– Le conseil de famille débute dans un instant.

– Je cherche Shaé. Elle ne connaît personne et ne doit pas se sentir très à l'aise.

– C'est probable, acquiesça Barthélemy, et c'est tout à ton honneur de t'inquiéter de son sort. Attention toutefois à ne pas te croire responsable d'elle, et ne traîne pas pour lui faire tes adieux.

– Lui faire mes adieux ? Que voulez-vous dire ?

– J'ai donné des ordres pour qu'on la ramène chez elle. Ses tuteurs sont prévenus et l'attendent.

– Mais…

La main de Barthélemy se fit lourde.

– Réfléchis, Natan. Vous avez beau avoir affronté ensemble de redoutables dangers, vous n'avez rien en commun. Il nous reste une foule de problèmes à régler, en priorité trouver et neutraliser les assassins de tes parents. Tu devras ensuite prendre la place qui te revient dans la Famille et dans le monde, ce qui requerra toute ton énergie, crois-moi. Shaé ne fait pas partie de l'avenir qui s'ouvre devant toi.

– Je ne vous comprends pas, rétorqua Natan. Vous ne pouvez…

– Tu as cinq minutes pour lui dire adieu, le coupa Barthélemy. Pas davantage.

Il n'y avait plus la moindre bonhomie dans sa voix. Natan comprit qu'il devait plier.

– Je me suis toujours débrouillée sans toi, non ? Il n'y a aucune raison que cela change.

Ils étaient assis sur un banc près d'un bassin illuminé où une dizaine de carpes nageaient paresseusement. Natan venait d'expliquer la situation à Shaé, maladroitement, mécontent du rôle que lui faisait jouer Barthélemy, conscient de détruire la confiance que Shaé avait placée en lui. Sa répartie cinglante ne le surprit pas.

– Mais je croyais que… tenta-t-il néanmoins.

– Je me fiche de ce que tu croyais, l'interrompit-elle.

Elle hésita une seconde puis poursuivit :

– Je t'abandonne à ta famille de richards, à ta charmante cousine, à ton grand-père si sympathique et à ce Barthélemy qui, en vingt-quatre heures, est parvenu à… te faire ramper !

Natan tressaillit. Le sang reflua de ses joues.

– Tu es injuste, parvint-il à dire.

– Non, rétorqua Shaé en se levant. Pas injuste, réaliste. J'ai ma vie, tu as la tienne. Et tu sais quoi ? La plus misérable des deux n'est pas celle qu'on croit !

Natan ouvrit la bouche pour protester.

Elle était déjà loin.

12

À l'invitation d'Anton, Natan s'assit au bout de l'immense table où une quinzaine de personnes étaient déjà installées. Il reconnut Barthélemy, Ghislaine, Paolo et quelques autres, mais ne vit ni Enola ni Noura. Les membres de la Famille ne siégeaient donc pas tous au conseil ? Son grand-père répondit à sa question muette :

– La Famille compte des milliers de membres dans le monde. À une telle échelle, les unions extra-familiales sont inévitables et donc tolérées. Toutefois, pérennité de la Famille oblige, les enfants nés de ces unions doivent faire leurs preuves avant de prétendre jouer un quelconque rôle parmi nous. Le conseil est formé de l'élite de la Famille. Cent douze hommes et femmes capables de remonter leur arbre généalogique sur des siècles et possédant un pouvoir hors norme. Ils se réunissent périodiquement, en séance plénière ou partielle, pour protéger la cohésion de la Famille. Le conseil influe sur notre politique générale, et veille à ce que les actions de chacun aillent dans le sens de l'intérêt de tous. Ses décisions sont sans appel.

– Pourquoi alors suis-je ici ? demanda Natan.

Malgré lui, il avait parlé d'une voix dure, presque agressive. Après les critiques de Shaé, la tirade de son grand-père avait achevé de le déstabiliser, et il ne se sentait soudain plus aucun point commun avec les personnes rassemblées autour de cette table.

– Tu es là pour nous renseigner, répliqua Anton, en aucun cas pour participer aux délibérations du conseil. Il est d'ailleurs peu probable que tu y participes un jour. Maintenant, j'aimerais que tu nous racontes ce que tu as vécu ces trois derniers jours.

Natan faillit quitter la pièce en claquant la porte mais parvint in extremis à se contenir.

En choisissant ses mots, il relata une nouvelle fois la série d'événements qui avaient provoqué sa fuite et jalonné son voyage. Comme il s'y attendait, les membres de la Famille l'interrompirent à plusieurs reprises pour réclamer des précisions, s'intéressant particulièrement aux Helbrumes et aux Lycanthropes.

– Ce sont bien des créatures de Mésopée, confirma Ghislaine après lui avoir fait répéter la description du monstre qui l'avait attaqué près du lac. Je croyais pourtant que les portes créées par les Bâtisseurs vers la Fausse Arcadie avaient été condamnées…

– Quelqu'un les a réouvertes, rétorqua Anton, et les utilise contre nous.

– Contre nous ?

– C'est la Famille qui était visée à travers Luc et Natan. En douterais-tu ?

– C'est loin d'être évident, objecta Ghislaine. Ton fils s'était éloigné de nous. En seize ans, il a dû se faire des ennemis personnels.

– Des ennemis qui utiliseraient les portes des Bâtisseurs ? Étonnante coïncidence ! Tu oublies en outre que Barthélemy a surpris un espion dans la Maison. Réfléchis et tu t'apercevras qu'il n'y a qu'une explication : une Famille moins affaiblie que nous le pensions cherche à nous nuire. Reste à découvrir laquelle.

Ghislaine secoua la tête, l'air dubitatif.

– Je crains que tes conclusions ne soient hâtives. Qu'en penses-tu, Aimée ?

Les regards se tournèrent vers une femme minuscule assise au bout de la table. Les cheveux blancs noués en chignon, elle avait la silhouette d'une jeune fille et le visage sillonné de rides d'une centenaire. Elle semblait aussi fragile que du verre, pourtant lorsqu'elle parla, ce fut d'une voix claire et forte.

– Certains éléments doivent encore être tirés au clair avant que nous puissions nous prononcer sans risque d'erreur. Barthélemy, à supposer que celui qui se trouvait dans la Maison ne soit pas l'un d'entre nous, à quelle Famille appartiendrait-il ?

Barthélemy prit à peine le temps de réfléchir.

– Les Scholiastes ou les Métamorphes. Les autres auraient été incapables de se déplacer aussi vite. Je suis rapide, vous le savez, pourtant il m'a semé sans difficulté.

Aimée ferma les yeux.

À la surprise de Natan, le silence s'épaissit, comme si chacun veillait à ne pas perturber les pensées de la vieille femme. Au bout d'un long moment, elle se passa les mains sur le visage puis fixa son regard noir sur Natan.

– Parle-moi un peu de cette jeune fille qui t'accompagnait.

Malgré sa fatigue, Natan dormit très mal, le sommeil perturbé par son épaule qui le faisait souffrir et, surtout, par le feu de questions auquel l'avait soumis Aimée.

La vieille femme était dotée d'une perspicacité et d'une intuition inouïes. Par loyauté, par principe et pour d'autres raisons qu'il se refusait à analyser, Natan avait décidé de ne pas parler du monstre que Shaé devenait parfois. Pourtant, comme si elle devinait les failles dans son histoire, Aimée avait à plusieurs reprises failli le confondre. Elle n'avait toutefois aucun moyen de soupçonner la vérité et c'est en se concentrant sur cette certitude que Natan s'en était tiré.

La vieille femme avait brusquement cessé de le questionner à propos de Shaé pour aborder le rôle joué par Rafi, puis elle s'était levée, à peine plus grande debout qu'assise.

– Je vais réfléchir, avait-elle annoncé en quittant la pièce.

Peu après, Anton avait prié Natan de se retirer.

Il avait erré un moment dans l'immense villa avant de se coucher. Shaé avait été au cœur de la plupart de ses rêves.

Éveillés ou non.

13

Il était sept heures et demie lorsque Enola pénétra dans le salon où Natan prenait son petit-déjeuner. Elle était vêtue d'un peignoir en soie assorti au bleu de ses yeux et ses cheveux blonds tombaient en une douce cascade autour de son visage hâlé. Malgré son esprit embrumé par la fatigue et l'inquiétude, Natan ne put s'empêcher de la trouver très séduisante.

Comme si elle était dotée d'un radar lui permettant de mesurer l'effet qu'elle produisait, Enola lui renvoya un sourire éblouissant puis, en prenant soin de mettre en valeur ses courbes graciles, elle s'assit face à lui.

– Bien dormi, mon cousin ?

Elle avait prononcé le mot « cousin » sur un ton moqueur qui le troubla. Il bredouilla une réponse affirmative et se concentra sur son bol de café.

– As-tu suivi l'actualité ces derniers jours ? s'enquit-elle. Trois nouveaux conflits majeurs ont éclaté en Afrique et deux au Moyen-Orient. Si on y ajoute les dégâts causés par le tremblement de terre qui a secoué le Mexique et les inondations en Europe de l'Est, c'est à se demander si le monde n'est pas devenu fou.

Après le bref émoi causé par l'engageante silhouette de sa cousine, Natan s'était replongé dans ses pensées. Il ne répondit pas.

– Le plus étrange, insista Enola, c'est qu'aucun prévisionniste ne s'attendait à de tels déchaînements de violence dans ces pays en paix depuis des dizaines d'années. Même surprise pour les inondations en Bulgarie. Leur ampleur est sidérante. Le séisme du Mexique, en revanche, est…

Elle se tut. Si Natan avait paru apprécier sa présence, il ne lui accordait plus la moindre attention.

– Pas trop vexé d'avoir été berné par une Métamorphe ?

La question frappa Natan au creux du ventre comme un monstrueux coup de poing. Il leva les yeux et ficha son regard dans celui d'Enola.

– Que veux-tu dire ?

Elle saisit un croissant dans la corbeille d'argent, en arracha un morceau du bout des dents, puis réajusta son peignoir, veillant à le laisser délicatement entrouvert.

– Je t'ai demandé quelque chose !

Natan avait haussé le ton. Enola secoua la tête avec une moue désapprobatrice.

– Du calme, mon cousin. Ton ignorance n'excuse pas les mauvaises manières.

– Quelle ignorance ?

Enola se composa une mine de conspiratrice et, après s'être assurée que personne ne pouvait l'entendre, se pencha vers lui.

– Aimée est la meilleure déductrice de la Famille, lui expliqua-t-elle à voix basse. Il lui a pourtant fallu une bonne partie de la nuit pour analyser la situation et en percevoir la logique. Ton amie Shaé est une Métamorphe. Ce sont les Métamorphes qui ont tué tes parents et tenté de te supprimer.

– Mais c'est… c'est ridicule !

– Vraiment ? Aimée pense que tu n'as pas tout raconté hier soir, ce qui lui a fait perdre du temps, mais elle est certaine de ses conclusions. Une Métamorphe ! Elle projetait de nous espionner de l'intérieur pendant que les siens préparaient une attaque massive contre la Famille. Nous en saurons davantage tout à l'heure.

Natan avala sa salive avec difficulté.

– Vous…

– Nous, cher cousin, nous, pas « vous ». Aimée n'a pas décelé de malveillance dans tes omissions, juste un manque de lucidité. C'est pour cette raison que je te parle aussi librement, même si je ne suis pas censée te révéler cela. J'ai surpris une conversation entre mon père et Anton, et j'ai pensé que tu méritais d'apprendre la vérité sur ta Shaé. Tu m'en es reconnaissant, j'espère…

Natan fit un effort monumental pour conserver son calme.

– Tu disais donc que nous…

– … en saurions bientôt davantage. Mon père a prévu de cueillir cette fille à son lycée pour… l'interroger.

– Et ensuite ?

– Nous pourrons contre-attaquer et, selon toute vraisemblance, il y aura une Métamorphe de moins sur terre.

14

Natan sentit le sang quitter son visage. Un flot d'émotions l'envahit où la colère dominait, pourtant, une fois encore, il parvint à se contenir.

La vie de Shaé dépendait peut-être de son calme.

Ses lèvres se crispèrent dans une esquisse de sourire.

– C'est fou ! s'exclama-t-il. Elle m'a berné avec une facilité qui m'écrase de honte.

– Ne te blâme pas trop, le réconforta Enola. Tu ne pouvais pas te douter que cette fille était un monstre.

Natan fit mine de réfléchir puis d'hésiter avant de parler :

– Je croyais que les Métamorphes avaient tous disparu…

– Tu as beaucoup de choses à apprendre, rétorqua-t-elle avec prétention. C'est le prix à payer quand on se coupe de la Famille. Tu peux toutefois compter sur moi pour… Où vas-tu ?

Natan s'était levé.

– Me balader. J'ai besoin de réfléchir. Nous reparlerons de ça plus tard, d'accord ?

– Mon père a demandé que tu ne franchisses pas le portail du parc sans son autorisation. Il craint que…

Enola se tut. Natan était sorti.

À l'extérieur, le mistral soufflait toujours et il faisait froid. Natan envisagea une seconde de rentrer pour prendre une veste mais renonça. S'il croisait Enola, il risquait de craquer et de l'agonir d'injures. Au mieux.

Il s'abrita derrière un immense cyprès. Les hommes de garde ne lui avaient jeté qu'un coup d'œil, pourtant Natan savait qu'ils avaient intégré sa présence. Il ne devrait pas l'oublier lorsqu'il quitterait cet endroit.

Lorsqu'il quitterait cet endroit…

… pour secourir Shaé.

Il avait pris sa décision sans même s'en rendre compte.

Quelle que soit l'urgence, il lui fallait cependant s'accorder le temps de réfléchir.

Il ignorait comment Aimée l'avait deviné, mais il était possible qu'elle ait vu juste. Non. Quasiment certain. Shaé était une Métamorphe. Cela expliquait pourquoi elle s'était transformée en hyène dans la cabane près de la voie ferrée. La théorie du complot, en revanche, était une absurdité. Natan en avait l'intime conviction. Shaé ignorait sa condition de Métamorphe. Dans sa réalité, il n'y avait que la Chose et le combat quotidien qu'elles menaient l'une contre l'autre. Pas de projets à long terme, pas d'appuis, pas de parents.

Natan projeta de contacter Barthélemy pour le lui exposer, puis il se souvint du discours de son oncle, de celui de son grand-père, de tous ceux qu'il avait entendus depuis qu'il avait retrouvé sa Famille. Il ne convaincrait personne.

Il lui fallait donc agir seul.

Et vite.

Du coin de l'œil, il observa les gardes. Il en découvrit six placés de manière à couvrir l'ensemble du parc. Aucun ne le regardait et pourtant, s'il s'éloignait de l'arbre, il attirerait immanquablement leur attention.

Il leva les yeux. Le cyprès auquel il était adossé mesurait plus d'un mètre de diamètre à sa base et filait vers le ciel en une succession de branches touffues accrochées à un tronc parfaitement rectiligne, tandis qu'à proximité, un pin aussi imposant mais beaucoup plus tortueux étendait sa ramure au-delà du parc. À une dizaine de mètres au-dessus du sol, les deux arbres s'emmêlaient étroitement…

Une idée germa dans l'esprit de Natan.

Les gardes faisaient partie de la Famille. Comme chacun de ses membres, ils étaient dotés de capacités physiques exceptionnelles. Aucun toutefois n'aurait été capable de bondir à la verticale à près de trois mètres afin d'attraper une branche, de s'y hisser à la force des poignets, d'escalader les autres avec la discrétion d'une ombre et de se couler dans un arbre voisin sans faire craquer la moindre brindille.

Ils furent tout aussi incapables d'apercevoir Natan lorsqu'il passa au-dessus d'eux et parvint à l'aplomb du mur d'enceinte.

Le plus risqué restait à venir. Natan avait ramassé un caillou rond et lourd. Il le projeta avec force en direction de la piscine. Au bruit qu'il fit en heurtant la surface, les gardes tournèrent la tête. Natan se laissa tomber dans le vide.

Il amortit le choc en pliant les jambes et se plaqua contre le mur. Des caméras de surveillance avaient beau filmer la rue, le temps que quelqu'un donne l'alerte ou intervienne, il serait loin. En s'efforçant d'adopter une démarche dégagée, il s'enfonça dans une ruelle.

Lorsqu'il fut hors de vue, il se mit à courir. Il ne s'arrêta qu'en atteignant une avenue qui surplombait la mer. Comment allait-il se débrouiller pour atteindre le lycée de Shaé ? Elle lui avait dit qu'elle habitait Vitrolles, mais il ne savait rien de plus.

Il envisageait de héler un taxi lorsqu'une voiture s'arrêta à sa hauteur. La vitre côté passager s'abaissa, un homme se pencha vers lui.

Un vieil homme à la peau hâlée et aux cheveux blancs presque ras.

Un vieil homme aux yeux d'un bleu étonnant.

– Tu veux que je t'emmène quelque part, Natan ?

15

Le premier réflexe de Natan fut d'envoyer Rafi au diable. Ce type l'avait abandonné sur un parking quand il avait…

La complexité du personnage lui sauta alors aux yeux.

Rafi avait refusé de secourir Shaé en détresse, mais il avait ainsi permis que Natan la rencontre. C'était un menteur, mais également quelqu'un qui avait aidé son père et Barthélemy à sauver sa mère. Quelqu'un qui jouait un rôle essentiel dans cette affaire.

Si Natan souhaitait en apprendre davantage sur ce rôle, il n'avait qu'une chose à faire.

Il ouvrit la portière et se glissa dans l'habitacle.

– Je suis heureux de constater que tu suis ton chemin personnel de belle façon, déclara Rafi en portant la main droite à son cœur.

– Qui êtes-vous et à quel jeu vous livrez-vous ? attaqua Natan. Si vous ne me répondez pas immédiatement, je… je…

– Je pensais que l'urgence était de retrouver Shaé avant ton oncle.

Natan rougit jusqu'à la racine des cheveux.

– Vous… vous savez où elle est ? balbutia-t-il.
– Bien sûr. Tu oublies que je suis un Guide et que les routes n'ont aucun secret pour moi. Toutes les routes. On y va ?
Natan n'eut que le temps de hocher la tête, Rafi écrasa l'accélérateur.
Il était huit heures du matin, la circulation était dense sur les grandes artères marseillaises, les véhicules roulaient le plus souvent au pas, les conducteurs consultant leur montre avec l'inquiétude résignée que confère l'habitude. D'un habile coup de volant, Rafi gagna le couloir réservé aux bus et, klaxon bloqué, fonça à toute allure à travers la ville. Il grilla une dizaine de feux rouges, évitant de justesse une série de carambolages, emprunta trois sens interdits et ne descendit pas une seule fois en dessous de quatre-vingts kilomètres-heure.
Natan avait une multitude de questions à lui poser. Il resta muet, les deux mains crispées sur la poignée de porte, les yeux écarquillés par l'effroi. Jamais, même dans ses pires cauchemars, il n'avait imaginé que quelqu'un puisse conduire aussi vite, aussi mal et… s'en sortir indemne.
Lorsque Rafi s'engagea sur l'autoroute, Natan se décontracta légèrement mais ne lâcha pas la poignée. Il faisait bien. Bientôt, le compteur indiqua deux cents kilomètres-heure. Rafi se mit à slalomer entre les véhicules, n'hésitant pas à doubler sur la bande d'arrêt d'urgence. Il klaxonnait désormais par intermittence, chaque coup d'avertisseur précédant d'une infime seconde un dépassement encore plus périlleux que les autres, et tassant un peu plus Natan sur son siège.

Lorsqu'ils atteignirent Vitrolles, quinze minutes à peine après être partis, Natan aurait donné très cher pour n'être jamais monté à bord, et il avait le sentiment d'avoir vieilli de vingt ans.

Dans un crissement de pneus, Rafi pila près d'un bâtiment gris et massif, entouré de grilles.

– Tu es arrivé, jeune homme.

Natan sortit de la voiture en chancelant. Rafi se pencha vers lui.

– Tu voulais me demander quelque chose ?

Natan s'ébroua.

– Oui. Qui êtes-vous et qu'est-ce que...

– Pas le temps ! le coupa Rafi. Te répondre exigerait au moins une nuit entière et ta route est encore longue. Nos chemins se croiseront à nouveau, tu peux en être sûr.

À peine avait-il achevé sa phrase qu'il redémarrait sur les chapeaux de roues, laissant sur le goudron une traînée de gomme fumante. Natan se retrouva seul.

Aussitôt ses pensées se focalisèrent sur la tâche qui lui restait à accomplir. Il n'y avait personne autour du lycée, les élèves, rentrés depuis peu, suivaient leurs cours. Il s'approcha des grilles. Le portail était verrouillé. Il hésita entre passer par-dessus et utiliser l'interphone. Les risques d'être surpris étant trop grands, il sonna.

– Oui ?

– Je suis en retard. Désolé.

Il craignit qu'on lui demande son nom et sa classe, mais la concierge devait être habituée à ce type d'incident car, avec un grésillement électrique, le portail s'ouvrit. Il lui fallait maintenant trouver la classe de Shaé, la convaincre de le suivre, et quitter l'établissement sans provoquer d'esclandre... Facile.

Il pénétra dans le hall d'accueil.

Il y avait peu de rapports entre ce lycée et ceux qu'il avait fréquentés jusqu'alors, mais il se repéra néanmoins très vite. Les bureaux de l'administration se situaient au rez-de-chaussée, les salles de classe dans les étages. En prenant l'air le plus dégagé possible, il emprunta un escalier. Il arrivait sur le palier lorsqu'il croisa un surveillant qui jeta un coup d'œil sur sa montre.

– Accélère un peu, veux-tu !

– D'accord.

Conscient du regard fixé sur son dos, Natan s'engagea dans un couloir. Par chance, les salles étaient vitrées et il était possible en se hissant sur la pointe des pieds de regarder à l'intérieur. C'est ce qu'il entreprit de faire dès que le surveillant se fut éloigné.

Il venait d'examiner sa dixième classe lorsqu'un bruit de conversation se fit entendre, venant vers lui.

– Nous avons déjà eu des problèmes de discipline avec elle, mais j'étais loin de me douter qu'elle se livrait à ce genre d'occupation.

– Les trafiquants de drogue s'étendent rarement sur leurs activités.

La deuxième voix était celle de Barthélemy.

Natan chercha fiévreusement une cachette des yeux. Il s'engouffra dans les toilettes au moment où un groupe d'hommes tournaient dans le couloir :

Barthélemy, le proviseur du lycée, et cinq ou six individus en costume qui devaient être des gardes de la Famille.

– Vous êtes certains que cette interpellation est légale ? s'inquiétait le proviseur.

– Vous détenez les documents signés de la main du juge, que vous faut-il de plus ?

– Shaé est mineure. Comment peut-elle jouer le rôle que vous lui prêtez ?

– Cette jeune fille n'est certes pas à la tête d'un réseau international, mais elle va nous permettre de remonter une filière importante et de la démanteler. C'est ce qui explique cette procédure inhabituelle. Je compte sur vous pour que cette affaire ne s'ébruite pas.

Devant l'assurance et le charisme de Barthélemy, le proviseur capitula.

– Je ferai de mon mieux. Nous y sommes.

Natan risqua un œil dans le couloir.

À dix mètres de lui, le groupe d'hommes s'était arrêté devant une porte. Les gardes se positionnèrent de manière à rendre vaine toute velléité de fuite, puis le proviseur se redressa et pénétra dans la salle.

16

Shaé était perdue dans ses pensées.

La veille au soir, un chauffeur l'avait raccompagnée chez ses tuteurs en limousine. Il s'était garé devant son immeuble et lui avait ouvert la portière avant de lui tendre une enveloppe cachetée. Puis il était reparti sans prononcer un mot.

Elle ne savait plus où elle en était.

La manière dont Natan et elle s'étaient quittés lui faisait mal. Elle avait beau penser chacun des mots qu'elle lui avait jetés à la figure, son absence la brûlait déjà.

Ce n'était pas tout.

Il y avait les créatures qu'elle avait affrontées au péril de sa vie, sa fuite épique avec Natan, l'effet apaisant qu'il avait sur sa soif. Il y avait aussi cette Famille, si puissante, presque effrayante. Et surtout cette mystérieuse maison, dissimulée dans les souterrains derrière une porte de lumière.

Lorsqu'elle y était entrée, Shaé avait eu le sentiment de revenir chez elle. Elle avait contemplé, émerveillée, les pièces et les portes innombrables qui, elle le savait, conduisaient chacune dans un lieu différent.

Quand elle avait caressé une poignée de cuivre blond patinée par l'usage, des voix avaient commencé à murmurer en elle… C'est alors que Barthélemy l'avait prise en chasse.

Il était rapide, déterminé et, elle le sentait, capable de la tuer. Elle n'avait eu d'autre choix que de laisser la Chose prendre le contrôle de son corps.

Sauf que la Chose avait changé.

Elle était devenue plus souple, plus silencieuse. Plus forte aussi. Et beaucoup plus dangereuse.

Elle avait semé Barthélemy sans la moindre difficulté.

L'enveloppe contenait une importante somme d'argent. Le premier réflexe de Shaé avait été de la jeter à la poubelle, puis elle s'était ravisée.

L'accueil de ses tuteurs avait été lamentable. Un mélange d'indifférence et d'agressivité qui lui avait donné la nausée. Elle avait compris qu'elle allait les quitter. Vite et définitivement. L'argent de Barthélemy lui permettrait de se débrouiller le temps qu'elle trouve un moyen de subvenir à ses besoins. Elle serait partie le soir même si cette fuite n'avait pas signifié qu'elle renonçait à toute chance de revoir Natan.

Maintenant, assise derrière sa table à faire semblant d'écouter un cours qui ne l'intéressait pas, en compagnie d'individus qui étaient des étrangers pour elle, elle se dit qu'elle avait eu tort. Natan et elle vivaient dans des mondes différents, continuer à penser à lui ne servirait qu'à la blesser davantage. Elle pouvait…

Une série de murmures étonnés la tira de ses pensées. Le proviseur était entré dans la salle. Il chuchota une phrase à l'oreille du professeur puis balaya du regard les élèves soudain attentifs. Ses yeux s'arrêtèrent sur Shaé.

– Shaé, j'ai quelques questions à vous poser. Pouvez-vous me suivre ?

C'était un ordre et non une question. Shaé sentit un frisson d'angoisse la parcourir. Le proviseur ne se déplaçait jamais dans les classes. À chacun des nombreux problèmes qui l'avaient opposée à l'administration, c'était un surveillant qui était venu la chercher. Que se passait-il ?

Il était toutefois inconcevable de protester. Shaé se leva.

– Prenez vos affaires.

Le doute devint certitude. Un piège était en train de se refermer sur elle. Un piège dont elle ne savait rien, hormis qu'il était dangereux.

Et qu'elle était impuissante à l'éviter.

La Chose s'agita en elle, mais elle parvint à la calmer sans trop de mal. Ses camarades la regardèrent sortir, leurs regards éclairés par une inhabituelle lueur d'intérêt.

Barthélemy l'attendait dans le couloir. Il posa une main sur son épaule, se pencha à son oreille.

– Tu me suis. Sans protester, sans même proférer un mot. Au moindre mouvement suspect, à la moindre tentative de métamorphose, je t'abats.

Sa main était pesante, aussi menaçante que ses mots, en contradiction totale avec la douceur de sa voix. Shaé comprit qu'il n'hésiterait pas une seconde.

Elle hocha la tête et, le cœur battant la chamade, elle le suivit.

Elle passait devant les toilettes lorsqu'un infime mouvement attira son attention.

Natan se tenait là, dissimulé dans l'ombre.

Leurs regards se croisèrent. Échange fugace et parfait. Natan plaça un doigt devant sa bouche, elle cligna des paupières. Une fois.

Puis Barthélemy l'entraîna vers les escaliers. Natan resta en arrière.

Malgré l'inquiétude qui l'étreignait, Shaé sentit une vague de soulagement déferler sur elle.

Il ne l'avait pas abandonnée.

17

Une multitude d'idées plus folles les unes que les autres traversèrent l'esprit de Natan : bondir sur Barthélemy pour le prendre en otage, dérober l'arme d'un des gardes et tirer dans le tas, déclencher l'alarme incendie, hurler dans le couloir pour ameuter élèves et professeurs…

Il demeura immobile, conscient de l'inanité de ses projets. Son cœur battait à grands coups douloureux, et quand il réussit à desserrer ses poings, une onde de douleur parcourut ses avant-bras tétanisés.

À pas feutrés, il se glissa hors des toilettes. Le groupe conduit par son oncle avait presque atteint le rez-de-chaussée. Il s'engagea à sa suite dans les escaliers, veillant à ne faire aucun bruit, prêt à se jeter en arrière si un des hommes se retournait.

Par la baie vitrée du hall d'accueil donnant sur le parking de l'établissement, il vit Barthélemy pousser Shaé sur la banquette arrière d'une grosse berline sombre avant d'y entrer à son tour. Deux hommes montèrent avec eux, les autres s'engouffrèrent dans un second véhicule.

Natan comprit que, s'il n'agissait pas très vite, il allait les perdre.

Perdre Shaé.

Il jeta un coup d'œil angoissé autour de lui, en quête d'une voiture avec laquelle les suivre, mais il ne découvrit qu'une moto garée contre un muret. Sans réfléchir, il courut vers l'engin, une Ducati racée conçue pour la vitesse.

– Jamais conduit ça... pas de clefs... merde... merde... merde !

Il avait parlé à voix haute et se préparait mentalement à l'échec, lorsque la vision de Shaé démarrant la Honda en reliant quelques fils le frappa de plein fouet.

Ce n'était pas un simple souvenir, c'était une véritable vague de connaissances. Brutes et parfaites à la fois. Une vague qui avait déjà rôdé autour de lui, il en avait conscience, mais qui ne s'était jamais approchée. Une vague qui, cette fois, déferla sur lui en noyant tout sur son passage.

Lorsqu'elle reflua, Natan se frotta les yeux pour reprendre contact avec la réalité. Il se trouvait à genoux devant la moto, une poignée de fils à la main. En trois gestes précis, il en rejeta certains, en connecta d'autres. Le moteur de la Ducati rugit.

Les deux voitures tournaient à l'angle du lycée. Natan se jucha sur la moto. Il avait beau n'avoir jamais piloté un tel engin, il ne se posait plus aucune question.

Il savait.

Il enclencha une vitesse, tourna la poignée des gaz, la Ducati jaillit du parking comme une fusée. Le réservoir serré entre ses cuisses, Natan se pencha jusqu'à faire toucher le bitume au cale-pied, négociant un virage impeccable. Les voitures filaient devant lui, incapables de le semer désormais.

Il se força à respirer normalement et tenta d'analyser ce qui venait de lui arriver. Il ne découvrit aucune explication. Il avait toujours eu de grandes facilités à apprendre, mais jamais un savoir n'était entré en lui de façon aussi brutale. Aussi totale.

Il se rapprochait trop des deux véhicules et, dépourvu de casque, il risquait d'être reconnu. Il ralentit. Il avait décidé qu'au moment où Shaé sortirait de la voiture, il foncerait et tenterait de l'arracher à ses gardiens. Si elle réussissait à monter derrière lui, ils s'échapperaient sans difficulté. Restait à découvrir où Barthélemy la conduisait.

Les deux berlines s'engagèrent sur l'autoroute, Natan les suivant à distance. Le vent de la course le faisait pleurer, il grelottait de froid, mais il était convaincu d'avoir choisi la bonne voie. Shaé avait besoin de lui, et lui d'elle. Ce lien qu'il se refusait encore à qualifier était plus fort qu'une quelconque allégeance à la Famille.

« Je suis heureux de constater que tu suis ton chemin personnel de belle façon. »

Les mots de Rafi résonnèrent dans son esprit, épousant la situation avec une étonnante pertinence. Qui était-il ? Pourquoi Aimée avait-elle deviné la particularité de Shaé et gardé le silence au sujet du vieux Berbère ?

Une camionnette déboîta soudain devant lui. Natan l'évita avec adresse en décrochant et en accélérant. Dans son dos, une grosse voiture sombre fit de même, évitant l'accident d'un cheveu. Son conducteur, un colosse au regard masqué par des lunettes de soleil, n'avait pas frémi.

Shaé et ses ravisseurs quittèrent l'autoroute au niveau des ports. Natan craignit un instant que leur destination ne soit un des immenses entrepôts construits près de la mer. Intervenir dans un lieu clos serait délicat. Presque impossible. Les berlines poursuivirent leur route. Natan comprit alors où Barthélemy conduisait Shaé. Chez lui. Tout simplement. Il eut un sourire amer en songeant qu'il aurait aussi bien pu les attendre sur place, voire préparer un plan pour la libérer à son arrivée, alors qu'il était maintenant obligé de suivre bêtement.

Il immobilisa la Ducati à une centaine de mètres de la villa, laissant les voitures s'engouffrer dans le parc par le portail ouvert. Un portail qui ne tarda pas à se refermer. Natan examina le mur d'enceinte. Pas question de le franchir par les moyens utilisés pour sortir. Sans prêter attention à la massive silhouette qui l'observait de loin, il s'approcha du portail et appuya longuement sur le bouton du visiophone.

– Oui ?

– C'est Natan. Je suis allé me balader et j'aimerais rentrer.

18

– Où étais-tu ?

– J'avais besoin de réfléchir. Enola m'a dit pour Shaé, et j'avoue que j'ai eu du mal à m'en remettre. Je ne pensais pas que quelqu'un puisse se montrer aussi retors.

Barthélemy accusa le coup. Il s'était campé devant Natan, la mine sévère, prêt à le sermonner, mais entendre prononcer le nom de sa fille avait fait vaciller ses certitudes. Natan, lui, n'éprouvait aucun scrupule à dénoncer Enola. La placer en porte-à-faux vis-à-vis de son père le remplissait au contraire d'une profonde satisfaction.

– Comment t'es-tu débrouillé pour sortir ?

– Les gardes ne semblaient pas disposés à m'ouvrir le portail, je suis passé par-dessus le mur. Je n'aurais pas dû ?

Barthélemy vrilla ses yeux dans ceux de Natan.

– À quel jeu joues-tu ? lui demanda-t-il d'une voix glaciale.

Natan comprit qu'il était allé trop loin. Il fit machine arrière.

– Je m'excuse. Trop de choses sont survenues en trop peu de temps. J'ai du mal à m'y retrouver.

Le regard de Barthélemy s'adoucit.

– Je comprends. Je préférerais toutefois que tu t'abstiennes de sortir sans m'en aviser. Puisque Enola t'en a parlé, tu sais qu'une Famille au moins cherche à nous nuire. Nous allons très vite régler ce problème, en attendant la prudence reste de mise.

– La Famille des Métamorphes ?

– Oui. Nous surveillions ses derniers membres connus, qui vivent pour la plupart au Cameroun. Leur pouvoir avait décru de manière très importante et nous n'avions plus observé de métamorphoses depuis au moins un siècle. Ils semblaient donc ne représenter aucun danger. Nous nous leurrions.

– Mais Shaé n'est pas camerounaise.

– Voilà des milliers d'années que les Familles sont devenues planétaires. Les seuls groupements significatifs de Métamorphes ont beau avoir été repérés en Afrique Centrale, il serait simpliste de croire que tous sont africains.

– Où est-elle maintenant ? Je veux dire, Shaé.

– Elle a disparu. Son rôle était sans doute de nous infiltrer et elle comptait t'utiliser pour parvenir à ses fins. J'aurais aimé la questionner, mais ses tuteurs eux-mêmes sont sans nouvelles.

– Ils ne sont pas Métamorphes ?

– Non. Ce sont de braves gens qui pensaient avoir recueilli une orpheline. Elle les a trompés comme elle t'a trompé.

– Qu'en pense mon grand-père ?

– Que la situation est grave. Les membres du conseil ont utilisé leurs portes pour rentrer chez eux et planifier la contre-attaque.

– Grand-père aussi ?

– Oui. Il vit le plus souvent à Paris dans un appartement qui domine le Champ-de-Mars. Il occupe, tu l'as remarqué, une place très importante au sein de la Famille. Organiser la branche française est de son ressort.

Natan ne savait pas comment ramener la conversation sur Shaé. Cela faisait vingt minutes qu'elle était arrivée à la villa, et plus de cinq que Barthélemy et lui parlaient. Elle ne pouvait être loin.

En quête d'un indice, il préparait une nouvelle question lorsqu'un aboiement sauvage retentit à l'extérieur. Barthélemy fronça les sourcils et, d'un geste, lui intima le silence.

Ils restèrent un instant immobiles, puis un coup de feu retentit, suivi d'une dizaine d'autres. Des aboiements leur répondirent. Féroces, trop puissants pour être émis par de simples chiens. Quelque part au rez-de-chaussée, une vitre explosa.

– Va t'abriter dans la Maison !

L'ordre de Barthélemy avait claqué.

– Mais…

– Tout de suite !

Sans attendre, Barthélemy sortit de la pièce. Sa démarche évoquait irrésistiblement un fauve et il dégageait une incroyable aura de puissance. Si tous les membres de la Famille étaient à son image, il fallait être fou pour leur déclarer la guerre…

Natan se secoua. Quoi qu'il se passe, c'était l'occasion rêvée de trouver Shaé. L'idée que Barthélemy ait raison, qu'elle soit impliquée dans un complot visant à détruire sa Famille, et que des Métamorphes soient en train d'attaquer la villa, lui traversa l'esprit. Il la chassa. Il avait pris une décision, il s'y tiendrait.

De nouveaux aboiements retentirent, des coups de feu, des cris. Natan se mit à la recherche de Shaé. Il inspecta rapidement les pièces de l'étage, convaincu qu'elle ne s'y trouvait pas mais refusant de courir le moindre risque de la rater. Dans le parc, l'affrontement s'était calmé. On n'entendait plus que des appels brefs et de rares aboiements étouffés.

Natan descendit au rez-de-chaussée. Il tomba nez à nez avec le majordome qui tenait à la main un fusil d'assaut. Lorsqu'il le reconnut, l'homme baissa le canon de son arme.

– Monsieur ne devrait pas rester ici. Des créatures qui…

– Mon oncle m'a demandé de m'occuper de la prisonnière, le coupa Natan. Où est-elle ?

Le majordome n'hésita qu'une brève seconde.

– Dans la cave, sous le cellier.

Il désignait la cuisine et Natan s'élança.

Il découvrit très vite le cellier que le personnel avait déserté. De nouveaux coups de feu retentirent alors qu'il posait la main sur le verrou qui fermait la porte de la cave.

– Shaé, c'est moi, Natan.

La porte s'ouvrit sur une volée de marches qui s'enfonçaient dans l'obscurité.

– Shaé ?

Natan cherchait un interrupteur à tâtons lorsque deux grognements effrayants s'élevèrent.

L'un de la cave.

L'autre dans son dos.

19

Natan se retourna lentement.

La créature qui lui faisait face ravalait le rottweiler d'Eddy au rang de caniche.

De caniche nain et édenté.

Massive, haute d'un mètre au garrot, elle se distinguait surtout par une gueule immense, garnie de crocs redoutables longs de presque dix centimètres.

Un gouffre ouvert sur une promesse de mort.

« *Un Chien de la Mort.* » Le nom avait surgi de la mémoire de Natan à l'instant où il apercevait la bête.

Elle n'avait pourtant qu'un lointain rapport avec un chien. Une crête osseuse dentelée protégeant une échine courte et musculeuse, des pattes dotées de trois articulations, une fourrure rougeâtre ocellée de pourpre et de noir...

Le monstre avança d'un pas, ses babines ruisselant d'une bave nauséabonde.

« *Les Grœns vivent dans les steppes froides de Mésopée. Tueurs redoutables quand ils chassent seuls, ils deviennent, en meute, un des fléaux les plus meurtriers de la Fausse Arcadie.* »

– Et comment on fait pour se débarrasser d'un Grœn quand il s'intéresse de trop près à toi ? cracha Natan entre ses dents.

La voix dans son esprit resta muette.

Le Chien de la Mort fit un autre pas. Natan fléchit les jambes, serra les poings dans un geste dérisoire. Sa seule chance consistait à esquiver lorsque le Grœn passerait à l'attaque et à courir. Il resta toutefois stupéfait lorsque le monstre bondit. Il ne s'attendait pas à un tel déchaînement de sauvagerie et, malgré lui, il poussa un cri de stupeur.

Une forme sombre et élancée passa alors au ras de sa tête en un incroyable jaillissement de puissance silencieuse. Une panthère noire ! Elle percuta le Grœn en plein vol et, ensemble, ils roulèrent au sol. La panthère prit rapidement le dessus et, d'un coup de patte meurtrier, ouvrit le ventre du Grœn des côtes jusqu'à l'aine. Le monstre émit un glapissement qui s'acheva en gargouillis lorsque des mâchoires plus puissantes encore que les siennes se refermèrent sur sa nuque, la brisant net.

La panthère lâcha sa victime et tourna ses yeux jaunes vers Natan.

– Shaé ?

L'aurait-il voulu, Natan n'aurait pu empêcher sa voix de trembler, mais il s'en fichait. Son énergie entière était concentrée sur le fauve. S'agissait-il de Shaé, et si c'était le cas le reconnaissait-elle ?

La panthère émit un feulement rauque, se ramassa pour bondir…

– Non, Shaé. C'est moi.

Supplique étrange adressée à un fauve de soixante kilos capable de le déchiqueter en moins de dix secondes. Un fauve qui se figea dans son mouvement, comme touché par des mots qu'il peinait à comprendre.

– Shaé, je sais que tu m'entends. Tu es plus forte que la Chose en toi, Shaé. Ordonne-lui de te laisser la place. Fais-le, Shaé !

La panthère était maintenant immobile. Pas un de ses muscles ne frémissait, sa respiration était imperceptible, on aurait pu croire qu'il s'agissait d'une sculpture.

Une sculpture criante de vérité.

Puis son museau se plissa, ses oreilles se couchèrent sur son crâne, ses lèvres se retroussèrent, dévoilant des crocs acérés d'une blancheur sidérante.

– Shaé…

Natan avait mis tout son cœur dans ce dernier mot. Il tendit le bras et, comme s'il avait jeté un sortilège, les contours de la panthère se voilèrent. Une fraction de seconde. Le temps que le fauve disparaisse et qu'à sa place se matérialise Shaé, accroupie mains au sol, tête baissée, ses longs cheveux formant un rideau de nuit devant son visage.

Natan voulut se précipiter vers elle.

– Non !

Les yeux de Shaé s'étaient braqués sur lui. Des yeux jaunes au fond desquels subsistait une lueur de sauvagerie animale. Létale.

– Non, répéta-t-elle. Attends ! Elle est encore là. Elle guette.

Natan suspendit son geste. Une partie de son esprit enregistrait les bruits de la villa, les affrontements qui avaient repris, détonations, cris, aboiements sauvages, l'autre partie restait concentrée sur Shaé. Il était la bouée à laquelle elle s'était accrochée pour se libérer de la Chose, et il ne voulait pas lui faire défaut.

Malgré le risque que cela impliquait.

Au bout d'une longue minute, Shaé se redressa. Elle repoussa ses cheveux en arrière, dévoilant un visage marqué par l'épuisement et la terreur.

– Ton oncle est fou ! Il m'a…

Elle se tut. Ses yeux étaient tombés sur le corps du Grœn et elle peinait à admettre ce qu'elle voyait.

– Ce n'est pas un chien, n'est-ce pas ?

– Non, c'est un Grœn.

– Un quoi ?

– Je ne sais rien sur eux, à part qu'ils sont liés aux Helbrumes et aux Lycanthropes. Une bande de ces monstres a attaqué la villa.

– Ils te cherchent ?

– C'est possible, mais nous ne les attendrons pas pour le leur demander. Viens. Barthélemy et les gardes sont occupés, fuyons tant que c'est possible.

Ils traversèrent la cuisine. Là, Natan empoigna un tisonnier posé près de la cheminée. Il le soupesa, appréciant son poids et sa longueur. Si un nouveau Grœn survenait, il détenait désormais de quoi l'accueillir.

– Nat…

Il se tourna vers elle. Shaé le transperçait de son regard impénétrable.

– Tu vas t'opposer à ton oncle, à ta famille pour… pour moi ?

Sa voix s'était fêlée, mais ses yeux noirs fichés dans ceux de Natan ne cillaient pas et semblaient vouloir lire en lui. Pris au piège de leur magnétisme, Natan sentit sa gorge se serrer. À cette question si importante, il pouvait répondre par un simple oui qui ne l'engagerait en rien. Il pouvait aussi décider de se taire.

Il choisit de se livrer.

Avec un sourire, pour alléger les mots qu'il se préparait à prononcer d'une partie de la force dont ils étaient chargés.

– Je vais m'opposer à eux comme je m'opposerai à quiconque se dressera devant toi.

Il prit une inspiration. Ajouta :

– Devant nous.

20

Un silence fait d'émotion et d'attente régnait sur la cuisine. Le silence de tous les possibles.

Puis les aboiements reprirent. Très proches. Générant une nouvelle poussée d'inquiétude.

– Nous allons passer par l'arrière, décida Natan.

Ils se glissèrent dans un couloir, puis dans une bibliothèque aux murs couverts de rayonnages. À son extrémité, une porte vitrée donnait sur une cour intérieure. Natan posait la main sur la poignée lorsqu'un grognement retentit derrière eux.

Ils firent volte-face au moment où le Grœn bondissait, mâchoires écumantes, gueule ouverte, crocs à nu, prêt à les déchiqueter.

Natan réagit avec son ahurissante rapidité. Il passa devant Shaé, leva le tisonnier à bout de bras, pivota sur ses hanches… frappa.

De toutes ses forces.

Il atteignit le Grœn à la hauteur du thorax, l'envoyant s'écraser contre un rayonnage. Le Chien de la Mort poussa un glapissement sourd, s'affaissa et ne bougea plus.

Natan et Shaé n'eurent pas le temps de quitter la bibliothèque. La silhouette d'un homme s'encadra sur le seuil. Un homme si grand qu'il dut se baisser pour franchir la porte, si large que ses épaules touchèrent les deux côtés du chambranle. Un homme dont les bras étaient un incroyable entrelacs de muscles et de tendons, les jambes pareilles à d'indestructibles piliers et le torse un monolithe de puissance.

Un titan davantage qu'un homme.

Natan et Shaé n'accordèrent toutefois pas la moindre attention à cette prodigieuse morphologie. Ils se tenaient immobiles, hypnotisés par les yeux de l'inconnu, deux globes noirs si mats qu'ils n'offraient pas le moindre reflet, semblant au contraire se nourrir de la lumière ambiante. Un regard dénué de toute vie.

– Jaalab est mon nom, énonça l'homme d'une voix de basse. Je suis la Force de l'Autre, je suis l'aube de la nuit, et je suis également votre mort.

Il fit un pas en avant. Si lourd, si impressionnant, que Natan et Shaé se sentirent ravalés au rang d'insectes insignifiants.

Avant qu'ils aient pu esquisser un geste, un garde surgit dans le dos de Jaalab. Il leva son fusil d'assaut et tira. Sans sommation. À bout portant.

Jaalab ne broncha pas.

Il baissa les yeux vers le cratère que la balle avait créé en ressortant par son ventre. La surprise se peignit sur son visage sans âme, puis il pivota avec une vivacité sidérante. Sa main droite se referma sur le cou du garde. Il y eut un craquement sec et écœurant.

Du pied, Jaalab repoussa le corps puis se tourna vers Natan et Shaé.

Au même instant, la porte de la cour intérieure s'ouvrit sur Barthélemy.

Il tenait à la main un sabre japonais dont le redoutable tranchant était maculé de sang. Il jeta un bref coup d'œil à Shaé avant de braquer son regard sur Jaalab.

– Je m'occupe de lui, proféra-t-il à l'attention de Natan. Mets-toi à l'abri avec elle.

– Je…

– Tu n'aurais pas dû la libérer, mais d'un autre côté il se peut que nous ayons commis une erreur en l'accusant. Cet homme n'est pas plus un Métamorphe que moi un Helbrume.

Si Jaalab s'était figé en voyant Barthélemy, aucune crainte ne se lisait dans son attitude. Il donnait simplement l'impression d'enregistrer un nouveau paramètre, plus complexe que les précédents. Rien d'autre.

– Ce qui se trame est bien plus sombre que nous l'escomptions, continua Barthélemy sans relâcher son attention. Avertis la Famille, ton grand-père en priorité, et, s'il le faut, cherche des réponses dans les incunables de Valenciennes.

– Dans les quoi ?

Barthélemy ne répondit pas. Jaalab avait frémi. Un frémissement à peine perceptible auquel le sabre répondit avec la vivacité d'un serpent. Sa pointe acérée se releva, la garde de Barthélemy se verrouilla alors que son regard prenait la dureté de l'acier.

– Filez, cracha-t-il entre ses dents.

– Non, répliqua Natan, je vais t'aider. Ensemble, nous pouvons…

– Ne dis pas de bêtises, le coupa Barthélemy. Regarde-le !

Les yeux de Natan et Shaé se tournèrent vers Jaalab. Son pull sombre avait été déchiqueté par la décharge du fusil d'assaut mais, alors que son abdomen aurait dû être un magma de chair sanguinolente et d'entrailles explosées, sa peau pâle ne présentait pas la moindre lésion.

– Je m'occupe de lui, répéta Barthélemy, je n'ai pas besoin d'aide pour le découper en morceaux. Fiche le camp !

L'ordre était si péremptoire que Natan fit un pas involontaire vers la porte. Au même instant, Jaalab passa à l'attaque. Il se baissa, cueillit le fusil du garde et, le brandissant comme une massue, bondit vers Barthélemy. La lame du sabre siffla avant de tinter en contrant le coup qui aurait dû être mortel. Elle glissa, étincelante, le long du canon, pour ouvrir une profonde estafilade sur le bras de Jaalab. La plaie se referma aussitôt sans que la moindre goutte de sang ait jailli.

– Fuis ! hurla Barthélemy, avant de porter un nouveau coup aussi vain que le premier.

Natan et Shaé quittèrent la bibliothèque en courant.

21

Une dizaine de Grœns leur coupèrent la route alors qu'ils s'apprêtaient à sortir dans le parc. Natan claqua la porte massive au nez de celui qui menait la meute et ils firent précipitamment demi-tour.

Aucun coup de feu ne se faisait plus entendre, la maison paraissait déserte, seuls les grognements sauvages des Chiens de la Mort attestaient le contraire. Des grognements qui provenaient désormais d'un peu partout.

Shaé obligea Natan à s'arrêter.

– Je n'arrive plus à lui résister, haleta-t-elle.

Devant le regard perplexe de son compagnon, elle poursuivit dans un souffle :

– La Chose. Elle veut… elle exige de…

Alarmé par le ton de sa voix et la pâleur de son visage, Natan s'approcha d'elle, lui saisit la main, mais elle se dégagea et recula d'un pas.

– Elle est trop forte.

– Tu dois tenir bon, Shaé, la pressa Natan. Ce n'est pas un monstre qui vit en toi, c'est un don que tu dois apprendre à utiliser.

– Que veux-tu dire ?
– Tu es une Métamorphe. Dans tes veines coule le sang d'une des six Familles dont m'a parlé Barthélemy.
– Qu'est-ce que…
– Tu as la capacité de te transformer. C'est un pouvoir, Shaé, pas une malédiction.
– Mais…
– Je t'expliquerai plus tard. Nous devons nous mettre à l'abri, et je ne vois qu'une solution. Suis-moi.
Natan retrouva sans peine la porte qui donnait sur l'escalier conduisant aux souterrains. Ils le dévalèrent, longèrent le bassin de la grande salle et s'enfoncèrent dans le couloir rocheux.
Malgré les paroles de Natan, Shaé continuait à percevoir la Chose comme une entité distincte d'elle qui la rongeait de l'intérieur. Son cœur battait trop vite, son souffle était court, elle…
… aperçut la clarté rayonnante qui se dégageait de la porte.
Une paix instantanée descendit en elle.
Comme la fois où elle avait découvert ce lieu, elle eut soudain le sentiment, non, la certitude, de revenir chez elle.
Alors que Natan s'était arrêté et tentait en plissant les yeux de discerner un improbable chambranle, elle posa délicatement la main sur la poignée. Une douce chaleur l'envahit, reflet de la lumière bleutée qui inonda le couloir lorsqu'elle ouvrit la porte.

En pénétrant dans la première pièce, Natan, soucieux d'éviter un choc à Shaé, voulut lui expliquer la nature de l'endroit où ils se trouvaient. Elle l'interrompit d'un geste :

– Je sais.

À pas lents, ils traversèrent la trentaine de pièces qui les séparaient de la grande salle, puis ils prirent pied sur la terrasse et se figèrent devant l'incroyable spectacle de la prairie ensanglantée par le crépuscule. Derrière eux, la Maison déployait son extraordinaire complexité architecturale, les plus hauts de ses toits poignardant le violet profond des nuées vespérales, tandis que chacune de ses innombrables fenêtres en reflétait les subtiles nuances.

– Natan... C'est... C'est toi ?

Natan et Shaé se retournèrent d'un bloc. Enola se tenait devant eux, les bras serrés autour de son buste, le visage empreint d'une profonde terreur.

– Natan... Que... Que se passe-t-il ? J'ai vu des chiens affreux se précipiter sur les gardes, il y a eu des coups de feu, du sang, des... des morts.

Elle éclata en sanglots et Natan n'eut d'autre solution que de la serrer avec maladresse contre lui. Ainsi blottie dans ses bras, Enola pleura un long moment sous le regard dédaigneux de Shaé. Elle se dégagea ensuite et essuya ses yeux avec ostentation. Elle prit la main de Natan et lui offrit un sourire si parfaitement calibré qu'il comprit que le débordement d'émotion de sa cousine avait été pur simulacre.

– Que fais-tu avec ce monstre ? lui murmura-t-elle à l'oreille. Ce sont les siens qui sont à l'origine de cette attaque.

D'un geste brusque, il se libéra.

– Ne dis pas n'importe quoi ! lui ordonna-t-il d'une voix sèche. Barthélemy lui-même a convenu que Shaé ou les Métamorphes n'y étaient pour rien.

Enola recula d'un pas. Elle avait cessé de sourire.

– C'est toi qui dis n'importe quoi. Qui fais n'importe quoi. C'est à croire que tu es moins loyal que l'imagine Aimée. Quoi qu'il en soit, la Famille est avertie, des renforts arriveront sous peu. Ta créature va recevoir le traitement qu'elle mérite.

Elle fit un pas vers Shaé et, du bout des doigts, lui releva le menton.

– Tu entends, petit monstre ? Les miens vont te réduire en bouillie, mais auparavant, ils vont te…

– Lâche-moi.

– … faire parler. Tu leur avoueras tout ce que tu sais et après tu les supplieras de…

– Lâche-moi !

– … t'achever. Tu es fichue, petit monstre. Tu…

Shaé la saisit par le col et lui balança un formidable coup de tête en pleine figure. Enola poussa un cri strident et s'effondra en tenant son nez d'où jaillissait une fontaine écarlate. Shaé lui lança un regard écrasant de mépris.

Un bruit de course s'éleva. Une dizaine de miliciens vêtus d'armures de kevlar noir surgirent sur la terrasse. Ils étaient coiffés de casques de combat et brandissaient des fusils d'assaut.

Enola, toujours à terre, tendit un doigt maculé de sang vers Shaé.

– C'est elle ! hurla-t-elle. C'est une Métamorphe !

22

Dans un ensemble parfait, les hommes en armure de kevlar relevèrent le canon de leurs armes.

Dix yeux se placèrent derrière les mires.

Dix doigts se posèrent sur les détentes.

Commencèrent à appuyer...

Une panthère noire lancée à pleine vitesse percuta le premier d'entre eux, l'envoyant s'écraser contre ses compagnons.

Le temps que les miliciens comprennent le revirement de situation, le félin avait gagné la grande salle et disparu dans un couloir. Quelques coups de feu retentirent, des balles à haute vélocité impactèrent les murs, couvrant le sol de débris. La panthère était déjà loin.

– Cessez le feu ! ordonna le chef du commando.

Le silence qui succéda à son injonction fut rompu par le bruit d'une vitre qui se brisait. Les miliciens pivotèrent, levèrent la tête... Trop tard.

Le garçon qui accompagnait la Métamorphe avait bondi à une hauteur sidérante, empoigné un balcon, s'y était hissé à la force des poignets et, après avoir cassé une fenêtre, venait de pénétrer dans la Maison.

– Attrapez-les ! vociféra le chef. Morts ou vifs ! Et avertissez la deuxième équipe !

Ses hommes réagirent avec la rapidité de professionnels surentraînés. Ils s'engouffrèrent dans la grande salle et, par groupe de deux ou trois, empruntèrent les différents couloirs.

Resté seul, le chef s'approcha d'Enola. Il remonta la visière de son casque et s'agenouilla près d'elle.

– Ça va, mademoiselle ?

Il n'entendit pas la réponse.

Une forme ramassée s'était laissée choir du balcon le surplombant et avait atterri sur ses épaules, le plaquant avec violence contre le sol dallé. Le milicien poussa un bref grognement et ne bougea plus.

Après un agile roulé-boulé, Natan se redressa.

Il envisagea un instant de s'emparer du fusil d'assaut qui gisait sur la terrasse mais il se savait incapable de l'utiliser et renonça à cette idée. Il lui fallait retrouver Shaé avant les miliciens, et repartir avec elle vers la villa de Barthélemy. Rien de plus. C'était leur seule chance puisque les autres issues de la Maison leur étaient inaccessibles.

Il lança un regard impavide à Enola qui le contemplait avec stupeur et, sans daigner lui adresser le moindre mot, pénétra dans la Maison.

Deux hommes montaient la garde devant la porte de Barthélemy. Natan se rejeta en arrière, croisant les doigts pour qu'ils ne l'aient pas remarqué. Il n'était pas certain que les miliciens ouvriraient le feu sur lui – il appartenait tout de même à la Famille – mais il préférait ne pas les mettre à l'épreuve.

Il tenta d'imaginer les options qui s'offraient à Shaé. Si une part de conscience demeurait en elle, elle ne pouvait que s'embusquer près de la porte de

Barthélemy et attendre une opportunité pour la franchir.

Il explora discrètement les pièces les plus proches. Cette tâche, facilitée par le rare mobilier qui s'y trouvait, était compliquée par le nombre de pièces à visiter et l'obscurité grandissante.

Sans compter que si Shaé avait conservé sa forme de panthère, elle risquait de ne pas le reconnaître et de l'égorger avant qu'il ait eu le temps de faire un geste. Repoussant cette crainte au fond de son esprit, attentif à ne pas se perdre, il poursuivit ses recherches.

Sa persévérance finit par porter ses fruits. Shaé se dissimulait contre une haute armoire sombre dans une pièce dépourvue de fenêtre. Elle lui tira un léger cri de surprise lorsqu'elle lui effleura l'épaule. Il s'attendait à ce que son visage soit ravagé par l'inquiétude, mais elle lui offrit un sourire timide.

– Je commence à comprendre comment ça fonctionne, souffla-t-elle. Voilà ce que nous allons faire…

Les deux miliciens montaient une garde vigilante. La transformation de la fille, un peu plus tôt, les avait stupéfiés au point de les couvrir de ridicule et il était hors de question que cela se reproduise. Pourtant, lorsqu'elle surgit à quelques mètres d'eux, ils restèrent pétrifiés de stupeur.

Elle en profita pour tourner les talons.

– Cible repérée, aboya un milicien dans son talkie-walkie. En bas, près de la porte de monsieur Barthélemy.

Armes pointées devant eux, ils s'élancèrent sur les talons de la fille qui ne les distançait que d'une dizaine de mètres.

Presque invisible, Natan se glissa dans leur dos et sortit de la Maison.

Shaé comptait.

Un.

Deux.

À trois, elle se métamorphosa.

La Chose n'était plus une ennemie, elle devait s'en convaincre, garder le contrôle, ne pas perdre son objectif de vue.

Redevenir elle-même lorsque le moment serait venu.

La première balle siffla. Trop haut. Le temps que ses poursuivants ajustent leur tir, il était trop tard.

Sous la forme d'une panthère, il ne lui fallut qu'une fraction de seconde pour les semer.

Elle percevait désormais le monde d'une façon totalement différente. Une multitude de sons infimes parvenaient à son ouïe surdéveloppée, elle analysait les odeurs avec une précision sans faille et, surtout, l'obscurité n'existait plus. Elle distinguait les moindres détails de ce qui l'entourait avec une formidable acuité. Ces perceptions extraordinaires liées à la puissance sauvage qui pulsait dans son nouveau corps l'attiraient vers l'inconnu, lui soufflaient de se laisser aller, d'abandonner…

Elle résista.

Vivre comme une panthère était mille fois plus intense que vivre comme un être humain, chétive créature aux sens atrophiés. Ce serait si facile de renoncer, de plonger dans cette nouvelle existence pour toujours…

Elle résista encore.

Elle décrivit une courbe, revint sur ses pas, s'engouffra dans la pièce où les miliciens avaient monté la garde.

Natan l'attendait dans le souterrain, derrière la porte entrebâillée.

Avant que la panthère en elle lui souffle que ce fragile être humain avait rang de proie, elle se transforma à nouveau.

Natan tendit la main pour fermer la porte.

Le coup de feu claqua à cet instant précis.

Shaé fut projetée en avant.

Tomba à genoux.

Sur le dos.

Ne bougea plus.

Une mare rouge s'élargit doucement autour d'elle.

23

– Shaé !

Agenouillé près du corps immobile de Shaé, Natan souleva prudemment le pull de laine imbibé de sang. La balle, tirée de loin et entrée par le dos, n'était pas ressortie.

En multipliant les précautions, il retourna Shaé sur le ventre. Elle ne bougeait toujours pas, sa respiration était imperceptible.

Se préparant à la vision d'un horrible désastre, Natan serra les mâchoires.

Il ne voulait pas qu'elle meure.

Il ne voulait pas qu'elle meure.

Il ne voulait pas qu'elle…

La réalité lui sauta aux yeux. Incroyable.

Sous la pellicule de sang qui commençait à sécher, il n'y avait pas la moindre blessure. La peau de Shaé n'était remarquable que par son grain fin et serré. Aucune plaie n'apparaissait dans son dos.

– Mais… Qu'est-ce que…

Un tintement métallique répondit à son borborygme. Une balle de titane roula sur le sol. Au même instant, Shaé poussa un gémissement.

– Shaé, ça va ?

Aidée par Natan, elle se plaça sur le côté avant de s'asseoir contre le mur. Elle gémit une nouvelle fois, passa la main dans son dos et, en la retirant, contempla avec stupéfaction le sang qui maculait ses doigts.

– Shaé, ça va ?

– On va dire que oui.

– Shaé, je ne comprends rien à ce qui se passe. Tu devrais être morte ou au moins dans un sale état… Nous devons filer d'ici au plus vite. Les gars qui t'ont tiré dessus sont certainement en train de se regrouper. Ils seront bientôt là.

Shaé opina de la tête et se leva en s'appuyant sur l'épaule de Natan.

Ses premiers pas furent hésitants, mais très vite elle retrouva une démarche souple et assurée. Natan n'en croyait pas ses yeux.

– C'est impossible, bredouilla-t-il. C'est impossible…

Ils avaient dépassé la salle au bassin et parvenaient à la hauteur de l'escalier montant à la villa lorsque des voix retentirent derrière eux.

– On a intérêt à accélérer, ragea Natan. J'espère juste qu'il n'y a pas un comité de Grœns qui nous attend là-haut.

En réponse à son inquiétude, d'autres voix résonnèrent, provenant de la cage d'escalier. Natan et Shaé se figèrent.

– Zut, murmura Natan. Nous sommes pris en tenaille !

– Nous avons fait le ménage chez monsieur Barthélemy, déclara un homme parlant de toute évidence dans un talkie-walkie. Il est sérieusement blessé mais devrait s'en sortir. Aucune trace en revanche de vos deux fugitifs. Ils doivent être encore en bas. Nous allons les coincer.

Le talkie-walkie émit le crachotement typique des fins d'émission, et des bruits de pas se firent entendre qui descendaient vers les souterrains.

– Par ici, chuchota Natan à l'oreille de Shaé. Il nous reste une chance.

Ils rebroussèrent chemin et se glissèrent comme deux ombres dans la grande salle. Les miliciens qui arrivaient de la Maison dans l'Ailleurs surgirent une seconde plus tard.

Une seconde suffisante pour que Natan et Shaé se dissimulent derrière un énorme conteneur de bois.

– Ils vont nous trouver, souffla Shaé. Il n'y a pas d'autre issue à cette salle.

– Détrompe-toi, lui répondit Natan. Tu as déjà fait de la plongée ?

Lorsque les miliciens, qui avaient entrepris une fouille systématique des souterrains, parvinrent à l'endroit où s'étaient cachés Natan et Shaé, ils ne découvrirent qu'une tache de sang encore frais. Ils envisagèrent que les fugitifs se soient dissimulés dans le bassin. Après avoir sondé ses profondeurs avec de puissantes lampes torches et attendu quelques minutes une improbable remontée, ils renoncèrent à cette idée. Les vêtements abandonnés par Shaé et Natan auraient pu les trahir, mais ils gisaient à vingt mètres de fond sous un empierrement. Indécelables.

Les miliciens durent admettre que la Métamorphe et son compagnon leur avaient faussé compagnie, et se résignèrent à annoncer la nouvelle. Leur récit fut reçu avec scepticisme puis Enola expliqua comment Natan avait trahi et comment, aidé par Shaé, il avait attiré les Grœns et manigancé l'assaut de la villa.

L'annonce de cette offensive et de ses implications suscita un important émoi dans la Famille. En moins d'une heure, Natan et Shaé devinrent les personnes les plus recherchées au monde.

Barthélemy, le seul qui aurait pu les disculper, était plongé dans un coma léger sur l'issue duquel les médecins restaient optimistes.

Quant à Enola, l'autre survivante de l'attaque des Grœns, elle s'employa à les discréditer avec ténacité… et efficacité.

Sur les cinq continents, des bataillons d'enquêteurs, tueurs, et autres spécialistes se mirent en chasse.

À quelques kilomètres de là, Natan et Shaé prirent pied sur une plage déserte de l'île du Frioul.

Une fois ôtées leurs bouteilles, leurs palmes et leurs combinaisons de plongée, ils se retrouvèrent pieds nus et en tee-shirts. Ils étaient glacés.

Après une brève hésitation, Natan proposa à Shaé de lui frictionner le dos. Le regard qu'elle lui jeta suffit à lui faire comprendre que c'était hors de question. Ils sautèrent donc sur place, battant des bras jusqu'à ce qu'un sang nouveau coule dans leurs veines. Ils achevèrent de se remettre de leurs émotions à l'abri d'un rocher, face au soleil hivernal qui dardait ses pauvres rayons.

Un silence plein de sens s'était installé que ni l'un ni l'autre ne voulait rompre.

Ils se sentaient bien.

Natan aurait aimé que Shaé pose la tête sur son épaule. Les yeux clos, elle rêvait qu'elle le faisait.

Ils ne bougeaient pas.

Au bout d'un long moment, presque à regret, il commença à parler.

– Je… je ne comprends rien. Je ne sais pas qui je suis et encore moins qui tu es, quels sont ces pouvoirs, ces Familles, ces créatures… Je sais juste que… je n'ai jamais été aussi heureux.

Le visage dissimulé par ses longues mèches noires, Shaé sourit. Son cœur battait si fort, si beau, si vrai qu'elle avait l'impression qu'elle allait mourir.

Il voulut poursuivre, expliquer, s'expliquer… elle tendit la main, posa un doigt sur sa bouche pour lui intimer le silence. Il tenta alors de le saisir comme il aurait saisi une fleur. Pour y déposer un baiser.

Elle retira sa main.

Elle n'avait plus froid. Une douce chaleur s'était emparée d'elle, attisée par la promesse de baisers qu'elle lisait dans les yeux de Natan et par l'élan qui la poussait vers lui. Elle leva la tête, leurs regards se croisèrent, dégageant une telle harmonie qu'un même frisson les parcourut.

Une voix au-dessus d'eux les fit sursauter.

– Prenez votre temps les jeunes, je vous attends près de la barque dans la crique d'à côté.

Sa silhouette se découpant sur le ciel limpide de la mi-journée, Rafi leur adressa un signe de la main avant de disparaître derrière un rocher.

Sept Familles

1

– Nous ne monterons pas sur ce bateau tant que tu ne nous auras pas dit qui tu es et quel est ton rôle dans cette histoire !

Natan se tenait debout devant Rafi, les mains sur les hanches, le défiant du regard et du verbe. Le tutoiement, qui avait jailli sans qu'il le prémédite, prouvait cependant qu'il était bien moins fâché qu'il n'essayait de le faire croire.

Sans se démonter, le vieux bonhomme lui adressa un clin d'œil et se tourna vers Shaé.

– Les Cogistes ont rarement bon caractère, constata-t-il avec un haussement d'épaules fataliste.

Shaé, elle, ne souriait pas.

– Si tu ne parles pas, il y a des chances que tu apprennes à respirer sous l'eau, menaça-t-elle.

Dans sa bouche, le tutoiement était dur.

Rafi poussa un long sifflement.

– Étant, du fait de mon statut de mammifère, dépourvu de branchies, j'ai peur de me montrer incapable d'un tel exploit, répondit-il après une brève réflexion. Je crains toutefois que tes paroles soient en réalité une menace à prendre au second degré. Dans ce cas, je te rappelle que je suis non-violent depuis ma conception – pour la période qui l'a précédée je ne garantis rien – et qu'en me molestant tu me ferais beaucoup de peine, sans rien obtenir de plus que ce que je suis d'évidence prêt à t'accorder par amitié.

– Et en français, ça veut dire quoi ce charabia ? cracha Shaé.

– Juste que je suis disposé à répondre à toutes vos questions, expliqua Rafi en s'asseyant sur un rocher. Enfin... à presque toutes.

– Qui es-tu ? attaqua Natan d'un ton péremptoire.

– Mon nom est Rafi Hâdy Mamnoun Abdul-Salâm, toutefois mes amis m'appellent Rafi. Je me suis toujours demandé pourquoi. Sans doute croient-ils que...

– Arrête ! ordonna Shaé. Nous venons d'échapper à un commando de miliciens, à une horde de chiens monstrueux et à un colosse invulnérable, ce n'est pas pour que tu te moques de nous.

– Jaalab.

– Quoi ? Qu'as-tu dit ?

– J'ai dit Jaalab. C'est le nom du colosse dont tu parles et qui n'est d'ailleurs pas aussi invulnérable que tu le crois.

– Il a pourtant survécu à une balle de fusil d'assaut tirée à bout portant !

– Jaalab est une partie de l'Autre, poursuivit Rafi sans tenir compte de la remarque. Sa Force.

Natan échangea un regard avec Shaé. Lorsqu'il fut certain qu'elle était calmée, il s'assit face à Rafi et planta son regard dans le sien.

– Courons-nous un danger ?

– Pas dans l'immédiat.

– Alors il faudrait que tu racontes tout. Depuis le début.

Rafi lui adressa un large sourire qui fit étinceler le bleu incroyable de ses yeux.

– Et ce début selon toi ?

– Les Familles, bien sûr !

Quatre mille cinq cents ans avant notre ère.

Les hommes sont sédentarisés. Pourtant, s'ils élèvent du bétail, cultivent des céréales et disposent d'une quantité d'outils et d'instruments facilitant leur existence, ils ignorent la métallurgie et continuent à vivre en petites communautés.

C'est à peu près à cette époque qu'apparaît la première véritable civilisation. Venu du nord-est de l'Inde actuelle, un important groupe d'hommes et de femmes s'établit dans la plaine fertile de Mésopotamie, entre le Tigre et l'Euphrate. Les Sumériens.

Habiles artisans, eux travaillent le cuivre, le bronze, l'or et même les pierres précieuses. Ils mettent au point le tour de potier, se lancent dans la navigation fluviale et construisent les premières villes : Our, Erech, Lagash, ou encore Eridou. Une société complexe se constitue, faite de classes distinctes possédant chacune ses spécificités, prêtres, fonctionnaires, artisans, esclaves… alors que l'Europe se trouve toujours au stade néolithique. Les premières traces écrites, des tablettes d'argile couvertes de caractères cunéiformes, datent de cette période. Ces pictogrammes ont permis à l'histoire sumérienne de traverser les siècles.

L'âge d'or de Sumer est l'âge de tous les possibles. L'humanité, au sens civilisé du terme, est jeune. L'homme n'a pas encore restreint son champ d'acceptation de la réalité à une série de concepts scientifiques déterminés. Tout peut arriver.

Et être admis.

Sept Familles voient le jour au cœur de Sumer.

Sept Familles qui possèdent chacune un don très particulier. Un don qui leur offre une place privilégiée dans la société sumérienne et leur permet de se développer. En nombre et en pouvoir.

La première Famille, la plus puissante, respectée de tous, est celle des Bâtisseurs. C'est elle qui va ériger les grandes villes sumériennes et, plus tard, la légendaire tour de Babel, acquérant ainsi fortune et célébrité. Mais le don des Bâtisseurs ne se limite pas à la construction de palais et de ziggourats. Il recèle une autre facette, beaucoup plus mystérieuse : l'art des portes. Les Bâtisseurs ont en effet découvert un endroit étrange au-delà de notre dimension, sorte de plaque tournante entre lieux et mondes, et y ont construit ce qui deviendra la Maison dans l'Ailleurs. Ils y pénètrent grâce à des portes qu'eux seuls savent utiliser et en ressortent à des milliers de kilomètres de leur point de départ. La maîtrise des portes et son impact sur le commerce font de la Famille des Bâtisseurs l'égale des dynasties les plus riches du monde.

Les six autres Familles bénéficient d'une moindre renommée tout en occupant des places de choix à Sumer. Les Guérisseurs possèdent d'étonnantes connaissances médicales pour leur époque et détiennent surtout une capacité de régénération cellulaire incroyable. Les Scholiastes apprennent par mimétisme de façon fulgurante, les Mnésiques bénéficient d'une mémoire atavique qui leur promet un avenir radieux, tandis que les Cogistes font preuve de qualités physiques et intellectuelles hors norme. Les Métamorphes sont plus secrets. Ils ont le pouvoir de se transformer en n'importe quel animal pour peu que cet animal ne soit ni trop gros ni trop petit. Ce don, le seul qui soit parfois mal accepté par les Sumériens, incite souvent les Métamorphes à le dissimuler.

Il y a enfin les Guides, qui ont développé une perception si aiguë de la réalité que l'avenir leur apparaît comme une énigme plaisante et complexe qu'ils s'efforcent de déchiffrer. Ce sont les Guides qui, dépourvus d'ambition propre, constituent le lien entre les différentes Familles et assurent la paix là où la rivalité, fondement de la guerre, ne demande qu'à s'enraciner.

En 2000 avant notre ère, la civilisation sumérienne est absorbée par Babylone. Les sept Familles, toutefois, ne déclinent pas. Au contraire, leur pouvoir s'accroît. Les Bâtisseurs, qui, en gage d'alliance, ont offert un certain nombre de portes aux autres Familles, découvrent un moyen de quitter la Maison dans l'Ailleurs pour un monde parallèle qu'ils nomment Arcadie. Ils entreprennent de l'explorer, mais ce monde s'avère bien trop dangereux pour que cette tentative soit un succès. Des créatures sanguinaires y vivent, qui déciment les expéditions et, sous la pression des Guides, décision est prise de refermer les portes conduisant en Arcadie, qui prend le nom de Fausse Arcadie.

C'est alors qu'une entité arcadienne, puissante et dotée de pouvoirs maléfiques, force le passage. L'Autre !

Une lutte sans merci s'engage entre l'Autre et les sept Familles unies dans une même crainte de voir leur monde dévasté.

La guerre dure trois siècles et s'achève par la victoire des Familles. Le corps de l'Autre est détruit, et son essence scindée en trois principes : Jaalab la Force, Onjü le Cœur et Eqkter l'Âme. Chaque partie est piégée grâce à une porte conçue par les Bâtisseurs qui conduit à un lieu clos et inviolable. Ses séides, des créatures de la Fausse Arcadie, sont tués un à un.

Promesse est faite de ne jamais oublier l'Autre et de considérer comme primordiale la fraternité entre les Familles.

– Cette promesse n'a pas été tenue, acheva Rafi. L'Autre a été oublié et, au fil des siècles, les Familles se sont éloignées, affrontées, déchirées. Aujourd'hui, quoi que prétendent les Cogistes, il ne demeure que des miettes des anciens pouvoirs… et l'Autre est de retour.

2

Natan et Shaé restèrent un instant silencieux, tentant d'assimiler les paroles du vieux Berbère.

– Comment sais-tu tout ça ? demanda finalement Natan, bien qu'il se doutât de la réponse.

– Je suis un Guide. L'un des derniers.

– Et moi un Cogiste, tandis que Shaé est une Métamorphe, d'accord. Jusque-là, je te suis. Ça n'explique pas pourquoi l'Autre en a après nous.

– Vous représentez bien plus que cela, déclara Rafi.

– Que veux-tu dire ?

– Tu es un Cogiste, c'est vrai, mais tu es aussi un Mnésique et…

– N'importe quoi ! le coupa Shaé. Je ne choisis rien du tout quand je me transforme, j'essaie juste de ne pas y laisser ma peau et de ne pas causer trop de dégâts autour de moi. Et c'est loin d'être facile !

Elle avait parlé sur un ton agressif qui cachait mal son angoisse. Natan tendit la main vers elle, mais elle s'éloigna.

– Ton histoire est bidon, cracha-t-elle à l'intention de Rafi. Ton seul don est d'embrouiller les gens !

Le vieux Berbère secoua la tête, l'air peiné.

– Tu es une Métamorphe, que tu le veuilles ou non, et il t'appartient de maîtriser ton pouvoir plutôt que de te laisser dominer par lui. Maintenant, puisque tu as exigé des explications, tu vas devoir les écouter jusqu'au bout. Si l'Autre vous traque, Natan et toi, c'est pour vous tuer, et s'il veut vous tuer, c'est parce qu'il a peur de vous.

– Peur de nous ? intervint Natan. Une créature qui commande aux Lycanthropes, aux Grœns, aux Helbrumes ? Une créature dont une simple partie, Jaalab, est à elle seule plus puissante que la totalité des gardes de Barthélemy ?

– L'Autre a peur de vous parce que dans vos veines réunies coule le sang de six Familles.

– Six ?

Le cri avait jailli simultanément de la bouche de Natan et de Shaé.

– Oui, six. Et comme je suis un Guide et non un professeur, ne comptez pas sur moi pour détailler ce que vous êtes capables de découvrir en réfléchissant un tant soit peu. L'Autre a conscience qu'une Famille isolée, aussi puissante soit-elle, ne peut rien contre lui. Seule la combinaison des forces des sept Familles a pu le vaincre. En vous éliminant, il anéantit la dernière chance de l'humanité de se débarrasser de lui. Il vous faut donc l'éliminer en premier. C'est simple.

– Non, fit Natan, ce n'est pas simple du tout.

Rafi hocha la tête.

– Tu as raison, d'autant que les Cogistes ne vous faciliteront pas la tâche. À leur sens, l'ennemi c'est vous !

– Nous pouvons tenter de les convaincre…

– Bon courage.

Shaé, qui paraissait perdue dans ses pensées, intervint :

– Nous pouvons aussi nous enfuir et oublier cette histoire qui ne nous concerne pas. Il y a des millions d'endroits où nous cacher, des millions d'endroits où personne ne nous retrouvera.

– Tu as raison quand tu affirmes que tu peux t'enfuir, répondit Rafi, mais tu te trompes quand tu prétends que cette histoire, comme tu dis, ne te concerne pas. Le pouvoir de l'Autre va s'accroître. Bientôt il aura atteint sa plénitude, et il n'existera aucun lieu où te cacher. Il te traquera et te tuera. Où que tu sois. Et quand il en aura fini avec toi, il écrasera notre monde et ses habitants, plongeant la terre entière dans un indescriptible chaos de terreur et de sang.

– Et c'est à nous trois, qui représentons les sept Familles des origines, d'empêcher cela ?

Rafi acquiesça.

– C'est presque ça, Shaé, sauf que cette tâche est la vôtre. Pas la mienne.

– Quoi ? s'exclama Natan. Tu nous débites toutes ces belles phrases pour ensuite nous laisser tomber ?

– Je suis non-violent – là réside ma force même si tu es encore jeune pour le comprendre – et je suis un Guide, pas un chef de guerre. Mais je ne vous abandonnerai pas, crois-moi.

– Ton raisonnement ne tient pas debout, fit Shaé. Sans toi ça ne fait que six Familles et non sept. Comment pouvons-nous réussir ?

La mine de Rafi devint grave.

– Je n'ai jamais prétendu que vous alliez réussir.

Shaé sursauta, ouvrit la bouche pour une imprécation, la referma sans rien dire, puis se tourna vers Natan en quête d'un soutien. Il écarta les bras en signe d'impuissance.

– Tu vas nous guider ? demanda-t-il à Rafi. Nous expliquer ce que nous devons faire…

– Je vous ai révélé tout ce que vous avez besoin de savoir, répliqua le vieux Berbère. Je peux juste ajouter que ton oncle Barthélemy, même s'il se trouve dans un état critique, a bien abîmé Jaalab qui s'est réfugié chez lui afin de recouvrer son intégrité. Évidemment il y parviendra et reviendra bientôt pour achever sa tâche mais, à sa manière, Barthélemy t'a montré la voie.

Rafi se leva, fit mine de tourner les talons.

– Attends ! lui cria Natan. Tu ne peux pas nous laisser comme ça…

– Non seulement je le peux, mais je le dois, répondit Rafi. Je n'ai pas ma place dans ce qui va se jouer maintenant. Mon rôle viendra plus tard… peut-être.

Puis, comme s'il lui était impossible de les quitter sur une note pessimiste, il leur offrit un sourire confiant.

– Vous vous en sortez vraiment bien, les jeunes. L'Autre ne sait pas encore à qui il s'attaque !

En quelques gestes rapides, il se hissa au sommet d'un rocher.

– Gardez-vous des chemins sombres, mes amis.

Il sauta de l'autre côté et disparut.

3

Des vêtements chauds et des chaussures les attendaient dans le canot. Natan et Shaé s'habillèrent en silence, puis montèrent à bord. Natan caressa le moteur d'une main distraite. Il répugnait à le lancer, comme si ce geste allait sceller leur destinée.

– Qu'est-ce qu'on fait ? demanda-t-il enfin.

– J'ai l'impression que nous n'avons pas le choix, répondit Shaé.

– C'est-à-dire ?

– Nous devons éliminer l'Autre, Rafi a été clair sur ce point. Et pour commencer nous allons régler son compte à ce type qui incarne sa Force.

– Jaalab ?

– C'est ça.

– Génial ! Je suis vraiment idiot de ne pas y avoir pensé ! Euh… Shaé ? On s'y prend comment ?

– Pour régler son compte à Jaalab ?

– Oui.

Elle lui sourit. Le premier vrai sourire qu'elle lui adressait. Si tendre qu'il eut la sensation de se liquéfier.

– C'est toi le Cogiste, Nat. C'est à toi de réfléchir et de trouver des solutions. Moi, je ne suis qu'une pauvre Métamorphe incapable de choisir l'animal dans lequel je m'incarne.

– Tu es plus que ça, Shaé. Bien plus que ça, même si ta transformation en panthère est impressionnante.

– Ah bon ?

– Tu es une Guérisseuse. N'oublie pas que j'ai vu de mes yeux une balle mortelle rouler hors de ton corps, tandis que la plaie affreuse qu'elle avait ouverte se refermait comme si elle n'avait jamais existé.

– Ça n'a pas été agréable pour autant !

– Ce n'est pas tout, poursuivit Natan. Je suis Cogiste, je suis aussi Mnésique par ma mère et, si j'en crois l'expérience que j'ai vécue lorsque j'ai voulu démarrer une moto pour suivre tes ravisseurs, je dois également avoir du sang de Scholiaste dans les veines. Cela signifie que tu es une Bâtisseuse.

– Sauf si Rafi a raconté n'importe quoi !

Il n'y avait pas la moindre conviction dans les mots de Shaé.

Elle se souvenait trop parfaitement des émotions qui l'avaient étreinte lorsqu'elle avait passé le seuil de la Maison dans l'Ailleurs. Elle y était chez elle, cela ne faisait aucun doute, et en elle pulsait l'envie irrésistible d'y retourner, d'en parcourir chaque pièce, chaque couloir. D'y vivre.

Natan ne s'y trompa pas.

– Tu es une Bâtisseuse, Shaé. Rafi sait de quoi il parle.

– Très bien, grand chef Cogiste ! Et c'est quoi une Bâtisseuse ?

– Nous le découvrirons à Valenciennes. Ça et bien d'autres choses.

– À Valenciennes ?

– Oui. Mon grand-père a évoqué une section spécialisée de la bibliothèque de Valenciennes qui conserverait une trace de l'histoire des Familles, et Barthélemy m'a conseillé d'y chercher des réponses. Puisque nous n'avons aucune autre piste, je te propose de commencer par là.

– Pourquoi pas, répondit Shaé. La dernière fois que je suis entrée dans une bibliothèque j'avais sept ans. J'avais peur des livres et peut-être encore plus de la bibliothécaire.

Elle éclata de rire, si loin de la Shaé que connaissait Natan qu'il la dévisagea avec surprise.

– Pourquoi tu m'observes ? s'étonna-t-elle. J'ai une verrue sur le nez ?

Elle était radieuse. Comme si un voile dissimulant sa véritable nature s'était brusquement déchiré, la laissant enfin rayonner.

– Tu… tu es belle.

Elle cessa de rire.

Pour le regarder droit dans l'âme.

– Non, Nat. Je suis heureuse.

Le soleil descendait sur l'horizon lorsqu'ils quittèrent l'île.

La traversée ne prit qu'une vingtaine de minutes et ils abandonnèrent le canot dans un petit port de pêche à l'ouest de Marseille.

Ils avaient décidé de passer à l'action. La première étape de leur plan exigeait d'aller à Paris.

– Pourquoi ? avait demandé Shaé.

– Parce que nous avons besoin d'être armés.

– Tu veux acheter des armes ? Tu es fou !

– Nous n'achèterons rien du tout. Écoute-moi…

Natan s'était expliqué et Shaé, convaincue, avait acquiescé.

– Je doute que cela fonctionne, mais nous pouvons toujours essayer.

Puisque la Famille faisait certainement surveiller gares et aéroports, ils résolurent de trouver un autre moyen de transport que le train ou l'avion. Ils marchèrent jusqu'à une nationale, se postèrent sur le bas-côté et levèrent le pouce. Malgré la nuit qui arrivait et les faits divers dramatiques qui émaillaient les journaux, le premier routier qui les aperçut arrêta son trente-huit tonnes sans la moindre hésitation.

Lui aurait-on demandé les raisons de cette inhabituelle bienveillance, il aurait répondu que ces deux jeunes dégageaient une telle lumière qu'il avait été incapable de les laisser sur le bord de la route.

4

Maître Kamata jette un regard pénétrant sur les douze élèves assis en seïza devant lui, leurs katanas soigneusement disposés près d'eux.

Douze élèves venus de tous les horizons pour un stage réservé à l'élite des pratiquants mondiaux. Quatre sont des aïkidokas, maître Kamata le perçoit à la profondeur de leur respiration, quatre ont choisi le ken-jutsu, la poignée de leur sabre le prouve, deux sont des adeptes du qwan-ki-do vietnamien, et les deux autres viennent du yoseikan-budo ou du nukitsuke.

Un groupe hétérogène comme il les aime, composé de combattants expérimentés auxquels il va démontrer la futilité du concept d'école. Pour lui, qui enseigne la Voie du sabre depuis plus de quarante ans, il n'existe pas d'école, seules comptent l'ouverture et l'harmonie. Un paradoxe quand tant d'écoles, justement, font de l'ouverture et de l'harmonie la clef de voûte de leur enseignement.

Les yeux du senseï effleurent le jeune homme assis sur un banc à gauche du tatami. Maître Kamata n'admet jamais de spectateurs lors de ses stages, c'est un gage de tranquillité et la certitude que son enseignement restera confidentiel. Il a toujours choisi ses élèves, leur nombre, le lieu, la forme de ses cours, sans jamais céder à la pression, quelle qu'elle soit. Et il n'a aucune intention que cela change.

Il a fait une exception pour ce garçon.

D'abord parce qu'il le lui a demandé dans un japonais parfait, en respectant les formes de l'antique politesse, ensuite et surtout parce qu'il se dégage de lui des ondes auxquelles il a été sensible. Ce n'est pas un combattant, il en est quasiment sûr, mais ce « quasiment » l'intrigue comme l'intrigue sa manière de se déplacer, souple, précise, détendue... Il a eu envie d'en savoir davantage.

Salut.

Mains et front posés sur le tatami.

Vigilance totale.

Le cours commence. Maître Kamata désigne un élève qui se lève, lie le fourreau de son sabre à la ceinture de son keikogi, se met en garde... Déjà le senseï a frappé. Le tranchant du katana, mille fois plus affûté que celui d'un rasoir, s'arrête à un millimètre de la jugulaire de l'élève qui blêmit. Cinquième dan de ken-jutsu, il n'a pas vu le coup venir.

Senseï Kamata donne une brève explication en japonais. Le cours reprend.

Le maître met ses élèves à rude épreuve. Il prend un malin plaisir à les placer en porte-à-faux, à pointer leurs défauts si flagrants, à faire vaciller leurs certitudes.

« Celui qui croit savoir n'apprend plus. »

Pas une fois son attention n'a quitté l'inconnu assis sur le banc.

Senseï Kamata n'a jamais vu pareille concentration. Sensible à l'aura des gens, à ce qu'ils offrent, à ce qu'ils prennent, il a l'impression d'être aspiré par les yeux du jeune homme. Il ressent presque un vertige devant cette manière de regarder. Totalement.

Randori. Combat libre.

Maître Kamata affronte ses élèves un à un, puis par deux, par trois... Son sabre virevolte avec la légèreté d'une plume, mélange envoûtant de précision mortelle et de grâce éthérée. Chacun de ses gestes est juste, en accord parfait avec les mouvements de ses adversaires et leurs intentions.

Le jeune inconnu observe. Avidement.

Fatigue ? Colère ? Un des élèves porte un coup sournois au maître. Un coup destiné à blesser. À faire couler le sang. Senseï Kamata l'évite et frappe. Du plat de la main. Au centre de la poitrine. L'élève qui a perdu le contrôle de ses actes est projeté à travers le dojo. Il s'écroule aux pieds du jeune inconnu.

Qui regarde. Absolument.

Trois heures de combats, d'explications, de corrections. Cliquetis d'acier, souffle rauque des respirations qui se cherchent, attaques, parades, feintes. Encore et encore.

Le cours s'achève.

Les élèves et le maître saluent. Les élèves remercient.

Ils repartent vidés. De leurs forces. De leur savoir. De leurs certitudes.

Aptes à apprendre.

Senseï Kamata se tourne vers le jeune inconnu. Il sait ce qui va se passer et, pour la première fois depuis près de vingt ans, depuis qu'il attend un véritable élève, les pulsations de son qi changent de rythme.

Imperceptiblement.

Natan, déchaussé, monte sur le tatami.

Il se saisit avec respect du katana que lui tend senseï Kamata.

– Domo arigato, disent-ils ensemble. Merci beaucoup.

Natan se met en garde.

Un savoir nouveau et flamboyant coule dans ses veines.

Fait d'ouverture et d'harmonie.

5

Shaé erre entre les enclos.

Le zoo délabré dégage un indicible sentiment de tristesse et de renoncement.

Gris. Tout est gris.

À commencer par ce fameux rocher en béton qui culmine à soixante-cinq mètres de hauteur et qui fait la fierté du zoo. Comment peut-on croire une seconde que les mouflons et les markhors prisonniers sur ses flancs le prennent pour les falaises de leur enfance ? Ou celles de leurs ancêtres ?

Shaé se glisse néanmoins dans ses entrailles, jette un coup d'œil sur les panneaux expliquant en plusieurs langues l'exploit architectural que représente sa construction, puis en ressort rapidement.

Toujours cette phobie des lieux clos.

Et elle n'est qu'une humaine.

Métamorphe mais humaine.

Elle songe à l'angoisse des animaux, captifs alors qu'ils ne sont qu'espace et liberté. Angoisse vaine. À jamais.

Elle a envie de pleurer.

Elle se ressaisit, longe le parc des éléphants, gris sur gris, puis celui des girafes. Il y a des arbres pourtant, rachitiques, des massifs, des buissons, de jolis ponts de bois qui enjambent des cours d'eau gazouillants sur lit de béton…

Elle cherche l'enclos des hyènes.

Savoir à quoi ressemblait la Chose avant l'irruption de Natan dans sa vie.

Il n'y a pas de hyènes ici.

Shaé en est secrètement satisfaite. On n'enferme pas la Chose derrière des barreaux.

Elle sait, pour s'être renseignée à l'entrée, qu'elle ne trouvera pas non plus de panthère, encore moins de panthère noire. C'est un clin d'œil du destin, les limites du zoo : on n'enferme que ce qui est enfermable.

Elle suit néanmoins les panneaux qui la guident vers l'enclos des guépards. Le guépard est un cousin de la panthère, non ? Plus petit, plus fin, moins sauvage, mais cousin tout de même. Le parc est vide. Le dernier guépard a été transféré à Lisbonne en 2003…

Shaé éclate presque de rire. Elle est venue chercher des réponses, elle ne découvre que du vide.

Elle repart vers le rocher, si gros, si haut, si gris. Les fauves sont censés vivre à son pied. Elle jette un coup d'œil dédaigneux aux singes. Jamais la Chose ne s'abaisserait à prendre la forme d'une de ces parodies d'être humain. Elle ignore les antilopes et les gazelles, translucides, et n'accorde pas un regard aux hippopotames et aux rhinocéros, bien trop gros pour être intéressants.

Elle marche, oublieuse de l'endroit où elle se trouve, oublieuse de ce qui a motivé sa visite.

Elle pense à Natan.

Sa peau, sa voix, son regard quand il l'observe et ignore qu'elle l'épie…

Shaé est désormais isolée dans une bulle intime et confortable. Oubliés le gris du zoo, le béton et la détresse palpable des animaux captifs.

La bulle, sa bulle, est haute en couleurs. Elle est faite d'harmonies qui se combinent et forment un…

Flash !

Shaé se fige.

Face à deux yeux jaunes aux pupilles verticales. Deux yeux jaunes qui ne cillent pas et l'observent. Perforant son âme de part en part.

Tigre.

Shaé empoigne les barreaux de la cage et, lentement, glisse à terre. Elle laisse échapper un gémissement. Son corps est devenu lave, sentiments et émotions bouillonnent en elle, se fondent pour créer une nouvelle alchimie. Douloureuse. Neuve.

« Qui es-tu ? »

Les mots ont retenti dans son esprit sans qu'elle sache avec certitude qui les a proférés. Le tigre ? Le tigre !

« Qui es-tu ? »

La question est un ordre.

Le tigre. Ses yeux. Pareils à deux miroirs qui l'interrogent et la renvoient à elle-même. Lui indiquent la voie.

– Je… je ne sais pas !

« Apprends. »

Plus tard, bien plus tard, Shaé se relève.

Une jeune femme qui pousse un landau fait un grand détour pour l'éviter. Deux fillettes la montrent du doigt et pouffent sottement.

Le tigre la regarde toujours.

La première sensation est la soif.

Une soif intense. Terrible.

Puis la soif disparaît. Comme par magie.

La deuxième sensation surgit à cet instant. Bouleversante. Elle ne perçoit plus le souffle de la hyène.

La Chose a disparu.

Il ne reste à sa place qu'un vide vaporeux qui, doucement, se dissout dans le néant. Enfin.

C'est alors que déferle la troisième sensation. Sous la forme d'une certitude.

Qui demande une vérification immédiate.

« Je peux le faire, songe Shaé. Quand je veux, comme je veux. Ce pouvoir m'appartient. »

Déjà elle a bondi.

Elle se transforme au moment exact qu'elle a choisi. Devient panthère noire. Son corps puissant passe largement au-dessus de la grille et elle atterrit sans un bruit près du tigre immobile.

Un zoo à Paris.

Une mère de famille et deux fillettes assistent, sidérées, à une scène incroyable. Une jeune fille aux longs cheveux noirs est agenouillée près d'un tigre six fois plus lourd qu'elle. Elle a posé sa tête sur son épaule massive comme pour le remercier et il la gratifie d'un regard énigmatique qu'elles ont tout de même envie de qualifier de tendre.

Elles ne comprennent pas comment elle a franchi la grille, mais cela n'a aucune importance. Lorsqu'elles donneront l'alerte, la jeune fille aura disparu. Personne ne les croira.

6

À la tombée du soir, ils se retrouvèrent, comme prévu, sur l'esplanade du Trocadéro. Natan, arrivé le premier, se leva de son banc en voyant Shaé et fit deux pas dans sa direction. Elle combla en courant la distance qui les séparait.

La Chose avait fui.

Elle était libre.

Elle pouvait se jeter dans les bras de Natan.

Elle pouvait l'embrasser.

Elle pouvait…

Elle s'arrêta à un mètre de lui. Incapable d'approcher davantage. L'idée qu'il la touche la révulsait soudain. Elle mourait d'envie de se blottir contre lui et elle ne supportait pas la pensée de leurs peaux se frôlant…

Son ventre se noua.

La Chose avait peut-être disparu, mais son empreinte demeurait. Despotique. Elle en aurait pleuré. De rage. De désillusion. De détresse. Elle se contraignit à repousser la mèche qui barrait son visage. La mémoire de la Chose verrouillait son corps, elle ne serait pas maîtresse de son regard.

– Alors ? demanda-t-elle.

Natan n'avait pas perçu son trouble. Il saisit sur le banc un objet d'environ un mètre de long enveloppé d'une housse de soie noire. Il le lui tendit. Elle le prit, en apprécia le poids et l'équilibre puis ôta le lacet qui fermait la housse.

Un sabre japonais apparut, très simple dans son fourreau de bois laqué. Seule sa garde métallique était ouvragée et représentait une branche de cerisier en fleurs. Shaé posa la main sur la poignée et tira la lame de quelques centimètres. Un tranchant merveilleusement affûté se dessina, si parfait que la réalité semblait ondoyer sur son fil.

– C'est un katana, expliqua Natan. Un katana façonné par Masamune, le plus grand forgeron que le Japon ait connu. Senseï Kamata me l'a offert.

Il lui raconta sa rencontre avec le vieux maître et comment, pendant l'entraînement auquel il avait assisté, son pouvoir de Scholiaste s'était abreuvé à une source formidable.

– Le plus incroyable, c'est que j'ai beau avoir bu tout ce qui était à boire, lorsque je me suis retrouvé face à senseï Kamata sur le tatami, je n'étais qu'un débutant, à des millions d'années-lumière de lui. Je possédais la technique d'un maître et devant ce maître, je n'étais rien.

– Je trouve ça plutôt rassurant, fit Shaé.

Sans tenir compte de la remarque, Natan poursuivit :

– Nous avons travaillé pendant trois heures, pendant trois heures j'ai continué à progresser, et tu sais quoi ? À aucun moment je n'ai discerné les limites de son art. Lorsque nous nous sommes séparés, senseï Kamata m'a offert ce sabre, un des plus beaux au monde. Il m'a expliqué en japonais qu'il sentait que j'en avais besoin pour suivre mon chemin. « Ce sabre est à toi. Sers-le et il te servira. Respecte-le et il te surprendra. Il ouvrira ta Voie. » Ce sont ses propres mots. Quand on sait l'importance de la notion de Voie pour un homme tel que lui, c'est un présent d'une valeur inestimable. Sais-tu que Masamune…

Natan se tut.

– Je suis désolé, reprit-il. Comment ça s'est passé pour toi ?

– Bien.

– Mais encore ?

– Prends-moi la main.

La voix de Shaé avait vacillé. Elle n'était pas certaine de supporter qu'il fasse ce qu'elle lui demandait, pourtant, quand les yeux brillants il obéit, elle parvint à se contenir.

– Je ne sens plus le souffle de la hyène sur ma nuque, lui expliqua-t-elle. Tout est loin cependant d'être réglé. Le pouvoir des Métamorphes n'est pas simple à comprendre et encore moins à maîtriser.

– Que veux-tu dire ?

– Lorsque la Chose me dominait, elle m'imposait de devenir hyène. Ce n'est plus le cas, mais je reste incapable de me transformer en un autre animal qu'une panthère noire…

Natan ne put dissimuler un mouvement de déception qui se mua en sursaut d'effroi lorsque la main de Shaé dans la sienne devint une patte griffue couverte d'une épaisse fourrure noire.

– … mais je me transforme désormais quand je veux et comme je veux.

À la hauteur de son coude, la fourrure cédait la place à la manche de son pull de laine sans qu'aucun raccord soit visible. Le reste de son corps n'avait pas subi la moindre métamorphose.

Natan contempla un instant la patte de félin qu'il serrait entre ses doigts puis, doucement, il en caressa la douceur moirée.

– C'est magnifique, murmura-t-il, et… effrayant.

– … et aussi follement amusant, répliqua Shaé en modifiant ses yeux pour qu'ils deviennent jaunes.

Natan sursauta à nouveau. Déjà le regard de Shaé était redevenu normal, et il tenait cinq doigts bien humains entre les siens.

Elle retira sa main. Brusquement. Alors qu'elle avait frémi sous la caresse qu'il avait prodiguée à sa fourrure, elle ne supportait pas qu'il touche sa peau.

– Nous discuterons plus tard, trancha-t-elle. Nous avons un train à prendre, non ?

Natan hocha la tête. Il ne la comprenait pas, mais il ne se sentait pas le droit de lui demander des explications.

– Il part dans une heure, fit-il. J'aimerais faire un tour en face. Tu viens ?

Ils traversèrent les jardins du Trocadéro, passèrent la Seine sur le pont d'Iéna et se retrouvèrent sous la tour Eiffel.

– C'est plus haut en vrai que sur les photos ! lança Shaé en contemplant l'imposante construction métallique.

Natan sourit, rassuré que, finalement, elle ait moins changé qu'il ne le craignait.

– Barthélemy m'a dit que l'appartement de mon grand-père surplombait le Champ-de-Mars, expliqua-t-il.

– Tu as l'intention d'aller chez lui ? demanda Shaé soudain inquiète.

– Non, répondit Natan sur un ton grave. Bien sûr que non. J'ignore d'ailleurs où se trouve exactement son appartement. Je veux juste… sentir l'endroit.

– Sentir l'endroit ?

– La vie prend parfois des virages inattendus. À la mort de mes parents, Barthélemy était censé m'accueillir. J'aurais rendu visite à mon grand-père. J'aurais peut-être habité ici, avec lui. Un grain de sable, et voilà que je me transforme en aventurier, traqué comme un vulgaire gibier par ce même grand-père…

Shaé s'arrêta pour le dévisager.

– Le grain de sable, c'est moi ?

Il la caressa du regard.

– Non, toi tu es le virage. Un sacré beau virage.

7

La bibliothèque de Valenciennes se dressait dans une large rue rectiligne, entre une vieille église et un imposant bâtiment à la façade ouvragée. Loin des constructions modernes de verre et d'acier, c'était un édifice massif en briques rouges, datant de plusieurs centaines d'années, et s'élevant sur trois niveaux surmontés d'un toit d'ardoise.

– Ils pourraient ouvrir plus tôt, maugréa Shaé en regardant sa montre. Dix heures ! Tu trouves ça normal, toi ?

Natan prit le temps de boire une gorgée de café avant de lui répondre.

– Je trouve au contraire que nous avons de la chance : le mardi ou le jeudi, la bibliothèque n'est ouverte que l'après-midi, et le lundi elle est carrément fermée. Et je te fais remarquer qu'il ne pleut plus !

– Génial ! se moqua Shaé. Tu as oublié de préciser que personne n'a fait exploser notre train, que nous ne nous sommes pas fait agresser en arrivant de nuit dans une ville inconnue et que la tempête qui ravage la moitié du pays n'est pas encore arrivée jusqu'ici.

Natan lui adressa un clin d'œil. Comme elle, il avait entendu les nouvelles à la radio. Les événements dramatiques qui se succédaient à une vitesse croissante ces derniers jours, attentats, catastrophes climatiques, épidémies, tension mondiale, séismes... lui avaient noué le ventre, mais il refusait de songer à autre chose qu'à leur projet.

Ils avaient passé la nuit dans un hôtel proche de la gare et maintenant, installés dans un café, à une dizaine de mètres de l'entrée de la bibliothèque, ils attendaient depuis près d'une heure l'ouverture au public.

– Tu ne trouves pas bizarre que l'histoire des Familles soit accessible dans ces, comment dis-tu, ces incunables ? demanda Shaé, davantage pour changer de sujet que motivée par un réel doute. C'est quoi d'abord ces trucs ?

– Les incunables sont des livres imprimés avant 1500. Les premiers textes imprimés en fait. Ils ont une valeur immense. Le plus célèbre est *La Bible* de Gutenberg.

– Gutenberg... c'est le type qui...

– ... a inventé l'imprimerie, oui, sourit Natan. Quant à ta question sur l'histoire des Familles, je suppose qu'il est inévitable que des documents la mentionnent, surtout s'ils sont aussi anciens que les incunables en question.

– Et pourquoi Valenciennes ?

– Parce que la bibliothèque de Valenciennes possède un incroyable fonds d'incunables.

Shaé grimaça.

– On va passer un mois à examiner de vieux bouquins poussiéreux ? Génial...

– Moins d'un mois, je l'espère, répondit Natan. Il y a cent trente-six incunables à Valenciennes. Pas un de plus.

Shaé le contempla avec des yeux ronds, puis émit un sifflement admiratif.

– Comment tu te débrouilles pour savoir tout ça ? Encore un don familial ?

Natan éclata de rire.

– Pas vraiment. J'ai trouvé un prospectus à l'hôtel et je me suis contenté de le lire pendant que tu squattais la salle de bain… Viens, ça ouvre !

Natan paya leurs consommations, saisit l'étui de soie du masamune, le petit sac à dos acheté la veille, et ils traversèrent la rue pour pénétrer par une porte de bois sombre dans une immense cour intérieure. Surmontée d'une verrière lumineuse, équipée à mi-hauteur d'une vaste mezzanine, cette cour était garnie de rayonnages soigneusement rangés.

Assise derrière un comptoir, une femme aux cheveux gris noués en chignon les accueillit avec cordialité.

– Nous souhaiterions consulter les incunables, annonça Natan.

La secrétaire lui renvoya un sourire désolé.

– L'accès à la salle des jésuites n'est possible que sur rendez-vous.

– C'est que… nous avons une recherche urgente à effectuer.

Nouveau sourire.

– Ces étudiants, tous les mêmes, on traîne, on traîne et puis soudain on s'aperçoit qu'on est en retard… Vous êtes inscrits à la bibliothèque ?

– Pas encore.

– Vous habitez Valenciennes, au moins ?

– Non. Nous arrivons de Paris pour effectuer cette recherche.

– De Paris ? Sans même passer un coup de fil au préalable ? Vous ne doutez de rien, vous les jeunes ! Attendez-moi ici deux minutes.

La secrétaire revint bientôt, accompagnée d'un jeune homme qui semblait à peine plus âgé que Natan. Elle le présenta comme le conservateur de la bibliothèque et responsable de la salle des jésuites.

– Puis-je vous aider ? s'enquit ce dernier.

– Je suis des études d'histoire, expliqua Natan, et dans le cadre d'un travail de recherche, j'aurais besoin de consulter quelques-uns de vos incunables.

– Quel est le sujet de cette recherche ?

Natan se crispa légèrement. Il n'y avait cependant ni méfiance ni animosité chez son interlocuteur mais une simple curiosité, et il se détendit très vite.

– Le rayonnement de la civilisation sumérienne et la pérennité de certaines de ses traditions à travers les siècles.

Une flamme s'alluma dans le regard du jeune conservateur.

– C'est un thème peu banal, et je crois que vous avez frappé à la bonne porte. Nous possédons un incunable assez obscur qui traite, me semble-t-il, ce sujet. Pour tout dire, son contenu reste très controversé. Du moins par les trois ou quatre spécialistes qui, durant ces cinquante dernières années, ont pris la peine et le temps de s'y plonger. Suivez-moi.

Il n'était plus question d'inscription ou de rendez-vous. Souriant comme seuls sourient les spécialistes qui se préparent à partager leur passion, le conservateur guida Natan et Shaé hors de la cour. Ils empruntèrent un large escalier de pierre qui montait vers les étages.

– Nous sommes dans un ancien collège jésuite, expliqua-t-il. D'où le nom de la salle où je vous conduis. Une bonne partie de nos livres anciens provient d'ailleurs de la bibliothèque du collège.

– L'incunable dont vous m'avez parlé aussi ?

– Il me semble que oui. Les jésuites ont de tous temps été de remarquables érudits, avides de connaissances dans une multitude de domaines dont certains assez confidentiels. Je suis d'ailleurs persuadé que les caves de la bibliothèque ne nous ont pas encore révélé la moitié de leurs secrets. Voilà, nous y sommes.

Il ouvrit la porte d'une vaste salle voûtée de vingt mètres de long. Son sol était parqueté de vieux bois, ses extrémités décorées de fresques gigantesques, son centre occupé par une immense table de travail en noyer, mais c'étaient les rayonnages qui attiraient irrésistiblement l'attention. Surmontés de peintures des XVIe et XVIIe siècles, ils contenaient des milliers d'ouvrages qui, bien que parfaitement entretenus, offraient une incroyable impression d'ancienneté.

– Une fabuleuse collection, n'est-ce pas ? fit le conservateur. Le texte qui vous intéresse doit se trouver… ici !

Il tendit une main assurée et dégagea un grimoire à la couverture patinée par le temps et l'usage. Il le déposa avec respect sur la table.

– À manier avec le plus grand soin, recommanda-t-il. Il ne doit pas y en avoir plus de dix exemplaires au monde.

Le cœur battant, Natan et Shaé s'approchèrent.

Dans un coin de la pièce, une caméra de surveillance pivota en silence dans leur direction.

8

L'incunable était imprimé en caractères gothiques si serrés qu'il était difficile de les distinguer les uns des autres. Shaé poussa un grognement de frustration.

– C'est des hiéroglyphes ? demanda-t-elle.

Le conservateur lui jeta un coup d'œil étonné.

– Non, du latin, expliqua Natan.

– Et tu sais lire ça, toi ?

– Je me débrouille, répondit-il en commençant à feuilleter les pages. Je devrais m'en sortir.

– N'hésitez pas à solliciter mon aide, intervint le conservateur. J'ai suivi un cursus de lettres classiques et je maîtrise encore assez bien le latin.

– Je ne voudrais pas vous déranger, fit Natan qui espérait le voir se retirer au plus vite.

– Vous ne me dérangez pas, et je suis de toute façon tenu de rester avec vous. Le règlement veut que l'on ne laisse jamais de visiteurs seuls dans la salle des jésuites. Que cherchez-vous exactement ?

– Une allusion à des Familles importantes ou alors à un personnage nommé Jaalab.

– Ça ne sonne pas sumérien, remarqua le conservateur.

Natan se contenta de hausser les épaules et reprit sa lecture. Malgré ses assertions il ne connaissait pas assez bien le latin pour lire très vite, et le texte, nébuleux, n'avait aucun rapport avec ses attentes.

Il aurait aimé l'étudier tranquillement, si possible à l'aide d'un dictionnaire, mais la présence du conservateur le gênait, comme le gênaient les déambulations de Shaé dans la grande salle.

– Tu ne peux pas t'arrêter de marcher cinq minutes ? s'emporta-t-il au bout d'un moment.

Elle le regarda, surprise, puis hocha la tête et alla s'appuyer à une fenêtre.

– Je t'aime bien comme ça, grinça-t-elle entre ses dents. On dirait mon prof de français…

– Là ! s'exclama le conservateur en pointant du doigt une des deux colonnes du texte. « Le roi s'adressa alors à l'une des sept Familles, et lui demanda d'étendre son… pouvoir de… guérison… » Oui, c'est ça, *potestatem curandi* : pouvoir de guérison, « d'étendre son pouvoir de guérison à son fils ». Et là, un peu plus bas : « Les Familles suivirent les conseils des… *formas mutantium*… des changeurs de forme… ». Je ne comprends pas ce que cela signifie mais c'est bien ce qui est écrit : « … des changeurs de forme et voyagèrent vers l'Est ».

Natan, soudain, était fébrile. Il tourna une page, trouva une allusion aux Bâtisseurs, une autre aux Mnésiques, tourna encore deux pages, dénicha l'équivalent latin du mot « Cogiste » puis une tournure qu'il traduisit comme « ceux qui apprennent en regardant ».

Ces trouvailles auraient mérité qu'il s'y attarde, qu'il déchiffre chaque paragraphe les concernant, mais il en était incapable. Il tournait les pages, cherchant des indices, encore et encore. Il parcourut ainsi les trois quarts du livre.

Avant de découvrir la carte.

C'était davantage un plan sommaire qu'une véritable carte, fait de lignes pâles s'entrecroisant pour former une multitude de carrés et de rectangles de tailles diverses. Une œuvre totalement absconse, n'eût été son titre : *Domus in Aliis Locis*.

La Maison dans l'Ailleurs !

Il avait sous les yeux un plan de la Maison dans l'Ailleurs !

Les traits minuscules sur le bord des pièces devaient être les portes et l'indication inscrite en caractères quasi microscopiques qui les jouxtait l'endroit où elles conduisaient.

Il plissa les yeux. *Mnesicis janua* : la porte des Mnésiques, *Cogitis janua*, la porte des Cogistes, *Scoliastis janua*, la porte des Scholiastes…

C'était ça. Anton lui avait expliqué que les Bâtisseurs avaient offert des portes aux six autres Familles. Le plan indiquait lesquelles.

Il levait la tête pour appeler Shaé lorsqu'un nom, près de la pliure centrale, attira son regard. Un nom différent de ceux qui se répétaient sur toute la surface de la carte : *Jaalabis janua*.

La porte de Jaalab !

– Ce plan est une énigme, fit doctement le conservateur. Il n'a pas été imprimé avec le reste du livre, voyez la couture qui le lie aux autres pages. Bien que très ancien, il ne paraît pas dater de la même époque et…

Natan ne l'écoutait pas.

– Shaé…

Les yeux fixés sur la rue, elle ne lui accorda pas la moindre attention.

– Shaé ! Viens voir. C'est un…

– Chut !

Son « chut » avait été si péremptoire que Natan se tut. Elle se tourna pour balayer la pièce des yeux. Son regard accrocha la caméra fixée dans un angle.

– Qu'est-ce que c'est ? demanda-t-elle au conservateur.

– Une caméra de surveillance. Nous la branchons la nuit pour…

– La nuit ? Vraiment ?

Elle fit un pas vers eux et l'objectif pivota pour la garder dans son champ.

– Je… je… ne comprends pas, balbutia le conservateur. C'est sans doute une défaillance du système.

Puis il se reprit et sourit un peu bêtement.

– Quelle importance après tout ? Être filmé ne présente aucun inconvénient pour peu que…

Shaé lui tourna le dos.

– Cette salle est un piège, Nat. Un piège conçu par ta Famille pour attirer ses ennemis et les coincer. On a trouvé cette bibliothèque bien trop facilement, on s'est fait rouler !

Natan fronça les sourcils.

– Tu exagères, non ? Tout ça à cause d'une caméra ?

– Crois-moi, Nat, c'est un piège. Depuis que je suis à la fenêtre, j'ai vu quatorze personnes sortir de la bibliothèque, aucune y entrer et, maintenant, il n'y a plus un chat dans la rue. C'est…

Elle se figea.

Concentra son ouïe. Une ouïe dont seul Natan pouvait deviner la formidable acuité. Une ouïe de félin.

Puis elle blêmit.

– Ils sont déjà à l'intérieur, Nat.

– Qui ça ?

– Les tueurs de ton grand-père !

9

Natan referma l'incunable d'un geste rapide et le rangea dans son sac.

– Que faites-vous ? s'insurgea le conservateur. Et qui êtes-vous d'abord ? Qu'est-ce que c'est que cette histoire de tueurs ? Vous ne pouvez pas…

– J'ai vraiment besoin de ce livre, le coupa Natan. Je vous promets que je ferai mon possible pour vous le rendre.

– Vite, Nat ! intervint Shaé, la main sur la poignée.

Le conservateur se lança dans une diatribe virulente, mais déjà Natan avait rejoint Shaé. Elle entrouvrit la porte, écouta avant de hocher la tête. Ils se glissèrent hors de la salle.

– Au voleur ! hurla le conservateur sans bouger d'un centimètre.

Il n'y avait pas un bruit dans la bibliothèque. Natan jeta un coup d'œil par une fenêtre qui donnait sur la cour intérieure. Les travées étaient désertes, et personne ne se tenait plus derrière le comptoir d'accueil.

– Ils se sont déployés au rez-de-chaussée, murmura Shaé à son oreille. Pour l'instant l'escalier est libre. Suis-moi.

Ils descendirent les marches avec précaution. Shaé se mouvait en silence avec une grâce féline, Natan avait passé son sac sur ses épaules et sorti le masamune de son étui de soie. Bien qu'ignorant s'il serait capable de s'en servir, il était prêt à le dégainer.

En arrivant sur le palier intermédiaire, ils virent le premier milicien. Revêtu d'une armure de kevlar noir, il montait vers eux. En les apercevant, il voulut donner l'alerte.

Déjà Shaé avait bondi par-dessus la rambarde. Elle ne prit pas la peine de se transformer, et atterrit, pieds joints, sur le dos du milicien.

Une armure de kevlar n'est pas conçue pour amortir l'impact d'une masse de cinquante kilos tombant de trois mètres de haut. Le milicien s'écrasa contre les marches et ne bougea plus. Shaé avait à peine vacillé.

Natan la rejoignit en courant.

– Ça va ?

En guise de réponse, elle leva le pouce. Ils reprirent leur progression.

Les miliciens avaient reçu des ordres stricts. Tenter de les capturer vivants mais en aucun cas ne les laisser s'échapper.

Tenter de les capturer vivants.

C'était ce qu'avait retenu le lieutenant Lopez embusqué derrière le chambranle d'une porte palière. Il pesait cent dix kilos, des kilos de muscles et de nerfs, et pratiquait le full-contact depuis des années. Il se savait dangereux et apte à se débarrasser à mains nues de n'importe quel adversaire. Récemment, il s'était frotté au service d'ordre d'une boîte de nuit qui lui cherchait des noises. Il lui avait fallu vingt secondes, montre en main, pour envoyer les quatre videurs, pourtant costauds, au tapis. Ce n'étaient pas deux adolescents qui allaient lui poser problème.

Il avait néanmoins appris à ne jamais sous-estimer un adversaire. Il attendit donc que sa cible l'ait dépassé, bondit derrière le garçon et abattit le tranchant de sa main à la base de son cou.

Voulut abattre.

Une douleur fulgurante se répandit dans son avant-bras. Le garçon s'était retourné – comment pouvait-on se mouvoir aussi vite ? – et avait paré son coup avec son bâton.

Ce n'était pas un bâton.

Le lieutenant Lopez le comprit à l'instant où la poignée du sabre s'enfonçait dans son estomac, lui coupant le souffle malgré la protection du kevlar. Puis il vit le sabre tournoyer comme si lui, le combattant chevronné, était passé en mode ralenti.

Un choc brutal contre sa tempe, un autre à la hauteur du plexus solaire.

« Quatre secondes, montre en main ! » eut-il le temps de penser avant de basculer dans l'inconscience.

Natan contempla le milicien étendu à ses pieds. Il n'avait pas dégainé et à aucun moment il n'avait douté de l'issue de l'affrontement. Il eut une pensée reconnaissante pour maître Kamata, fit un pas vers Shaé…

Elle bondit sur lui, l'envoyant rouler au sol.

Une série de détonations retentirent, et une grêle de balles s'abattit à l'endroit précis qu'ils venaient de quitter, arrachant aux murs d'énormes morceaux de plâtre qui tombèrent sur eux. Ils rampèrent à l'abri avant de se relever avec prudence.

– Trop tard ! ragea Shaé. Ils tiennent la sortie.

Natan désigna du doigt l'escalier qui s'enfonçait vers le sous-sol.

– Tentons le coup par là.

– Si nous descendons, ils vont nous coincer.

Une nouvelle rafale passa au-dessus de leurs têtes. Les tireurs se rapprochaient.

– Tu as une autre idée ?

– C'est bon, on y va.

Ils jaillirent ensemble de leur cachette et se précipitèrent dans l'escalier, sous une volée de balles qui les manqua par miracle.

Le sous-sol abritait une grande salle équipée d'ordinateurs et de rayonnages contenant des revues, des CD et des films. Comme les étages supérieurs, il était désert.

– On se cache ici ? proposa Natan.

– Non, il n'y a aucune issue.

– Comment le sais-tu ?

– Je le sens.

La voix de Shaé était sans appel et ses pupilles avaient pris une inquiétante forme allongée.

– On continue à descendre, décida-t-elle.

Une fois la dernière marche atteinte, fracturer la porte ne leur prit que quelques secondes, mais ils eurent le temps d'entendre, au-dessus d'eux, les miliciens investir la salle des médias.

– Et là, tu perçois quelque chose ? demanda Natan en appuyant sur un interrupteur.

Ils se trouvaient devant une vaste enfilade de caves voûtées où s'empilaient une profusion de caisses et de cartons, au milieu de meubles en piteux état.

Les sens en alerte, Shaé resta silencieuse.

La panthère qui vivait en elle ne percevait pas l'infime courant d'air qu'aurait laissé filtrer une issue, mais une autre sensation exigeait son attention.

Une sensation sans lien avec son pouvoir de Métamorphe.

Elle s'élança.

Ils traversèrent quatre salles et pénétraient dans une cinquième, rigoureusement identique, lorsque Shaé s'arrêta net. Un grand sourire barrant son visage, elle désigna un mur.

– Tu la vois ?

Natan contempla les pierres luisantes d'humidité. Il ne comprenait pas.

– Voir quoi ?

Shaé posa la main sur le mur. Une éblouissante lumière bleue inonda la cave.

– La porte, bien sûr !

10

Le jour n'était pas levé sur l'Ailleurs, et la Maison baignait dans l'obscurité.

– Je suppose que tu n'as pas de lampe, murmura Natan.

– Non, et je n'en ai pas besoin. J'y vois parfaitement.

– C'est injuste. Crois-tu qu'ils vont nous suivre ?

– Je n'en sais rien, répondit Shaé. Tu estimes qu'ils sont au courant de l'existence de cette porte ?

– C'est probable.

– Alors ils vont nous suivre. Viens, je vais te guider.

– Attends.

Natan réfléchissait intensément. Fuir, toujours fuir. Il sentait qu'une autre solution était là. À portée de son esprit. Plus efficace qu'une course éperdue. Comme pour l'aiguillonner, une phrase prononcée par Rafi deux jours plus tôt sur l'île du Frioul résonnait en boucle dans sa mémoire, mais il ne parvenait pas à comprendre en quoi elle était liée à la situation.

« Sumer. L'homme n'a pas encore restreint son champ d'acceptation de la réalité à une série de concepts scientifiques déterminés. Tout peut arriver. »

– Nat, il faut qu'on y aille.

– Attends.
– Attends quoi, bon sang ?
Il se força à inspirer profondément. Souffla. Recommença…
– Natan !
L'idée jaillit. Évidente.
– Shaé, tu dois fermer la porte !
– Qu'est-ce que tu racontes ? Elle est déjà fermée ! Allez, viens.
– Non, écoute-moi. Tu dois verrouiller cette fichue porte. Te débrouiller pour que personne ne puisse l'emprunter.
– Tu délires, Nat. Tu vois bien qu'il n'y a pas de serrure et que je…
Shaé se tut.
– C'est impossible, chuchota-t-elle enfin. Je suis incapable de…
– C'est toi qui délires, la coupa Natan. Tu es une Bâtisseuse, Shaé. Tu perçois l'existence des portes, leur réalité, leur fonction. Elles sont en harmonie avec toi, et toi avec elles. Tu peux les verrouiller.
– Mais… je… personne ne m'a appris. Je veux dire… comment dois-je m'y prendre ? C'est impossible, il n'y a pas de serrure, juste une simple poignée… Je…
– Arrête, Shaé.
Natan faillit la prendre dans ses bras, retint son geste en comprenant qu'il ne la rassurerait pas ainsi. Il plaça dans son regard toute la tendresse qu'il aurait aimé lui offrir par ses gestes.
– Nous devons tordre le cou au mot impossible, Shaé. Le sang qui coule dans nos veines, les pouvoirs qui en découlent, sont la preuve que rien n'est impos-

sible. Qui a affirmé qu'une serrure était nécessaire pour verrouiller une porte ?

– Ben…

– C'est Rafi qui m'a mis la puce à l'oreille. Les certitudes des hommes reposent sur leurs limites, non sur la réalité. Le hasard a fait que nous ne possédons pas les mêmes limites que le commun des mortels. Nous devons balayer nos certitudes, Shaé. Tu es une Bâtisseuse, tu peux fermer cette porte.

Sa voix était devenue pressante.

Shaé s'approcha de la porte. Elle y appuya ses deux mains bien à plat, tentant de faire le vide en elle afin de lier les mots de Natan, si séduisants, à la réalité d'un panneau de bois monté sur des gonds.

Une certitude, une de celles que Natan lui demandait de balayer, se glissa en elle, insidieuse : elle allait échouer.

La vision inattendue de la cave et des miliciens qui s'y déployaient la frappa avec une force d'autant plus stupéfiante. Elle poussa un léger cri, se rejeta en arrière. La vision cessa dès que ses mains eurent quitté la porte.

– Que se passe-t-il ? s'inquiéta Natan.

En guise de réponse, elle remit ses mains en place.

Comme si la porte s'était soudain évanouie, elle vit les hommes en armure de kevlar se positionner à moins de cinq mètres, fusils d'assaut pointés devant eux. Elle les entendit évoquer la porte, les vit la chercher, d'abord à tâtons puis avec plus de précision. Elle comprit que, pour peu que le sang d'une des Familles coulât dans les veines de l'un d'eux, la porte s'ouvrirait dans quelques secondes.

Ses lèvres se retroussèrent et un grognement rauque jaillit de sa gorge. Que des tueurs puissent utiliser un pouvoir auquel ils ne comprenaient rien la remplissait tout à coup d'une colère sourde.

L'Art des portes n'était pas fait pour les barbares !

Les Bâtisseurs avaient certes partagé leurs connaissances, ils demeuraient néanmoins garants de l'utilisation que les autres Familles en faisaient. Et ils pouvaient reprendre leur bien si ceux à qui ils l'avaient offert ne s'en montraient pas dignes.

Shaé caressa la porte d'un geste mesuré, empreint de douceur et d'inflexibilité. Un geste irrévocable.

Un tintement métallique retentit. Si fort que Natan dut se boucher les oreilles, tandis que les miliciens en noir reculaient brusquement en jetant des coups d'œil inquiets autour d'eux.

Shaé se tourna vers Natan.

Elle ne souriait pas, pourtant son visage était lumineux.

– La porte est fermée, Nat. En fait je crois que j'y suis allée un peu fort. Les mille sept cents portes de bois que compte la Maison sont désormais verrouillées et inutilisables par quiconque n'est pas Bâtisseur. Pour les sept portes de fer, je ne suis pas certaine, mais cela n'a aucune importance, les autres Familles n'ont jamais pu les emprunter.

– Tu es géniale ! s'exclama Natan. Tu...

– Attends, le coupa Shaé. Il faut que je te dise un truc. Un truc tout simple mais très important.

– Je t'écoute.

– Bienvenue à la Maison, Nat. Bienvenue chez moi.

11

Ils assistèrent au lever du soleil, assis sur la terrasse, les pieds dans le vide.

Dix minutes s'étaient écoulées depuis que Shaé avait verrouillé les portes. Elle avait retrouvé sans peine la grande salle centrale, expliquant à Natan que cette pièce et la terrasse qui la prolongeait formaient le cœur de la Maison.

Descendante des Bâtisseurs, elle percevait si distinctement les battements de ce cœur qu'il lui était impossible de se perdre.

– Et la différence d'heure ? lui demanda Natan. Ici l'aurore, chez nous la fin de matinée. Comment la justifies-tu ?

– Aucune idée, répondit Shaé. La Maison parle en moi, mais le monde où elle est bâtie m'est totalement étranger.

Natan hocha la tête. Il ôta un fragment de plâtre coincé dans un des replis de sa veste et, d'une pichenette, l'envoya dans la prairie. Aussitôt, une tige grasse se déplia puis s'enroula comme un tentacule autour du débris qui fut réduit en miettes avant d'être absorbé.

L'herbe retrouva sa passivité végétale…

… et sa vigilance de prédatrice.

– Je comprends que tes ancêtres aient renoncé à se lancer dans l'exploration de cet univers, fit Natan avec une grimace.

– Nos ancêtres ! rétorqua Shaé. Je te rappelle que les Bâtisseurs ont offert des portes aux autres Familles. Pendant des siècles des Cogistes, des Mnésiques et des Scholiastes ont arpenté les couloirs de la Maison.

– Et Jaalab ?

– Quoi Jaalab ?

– Comment se fait-il qu'il possède sa porte, lui aussi ?

– Ça m'étonnerait que ce soit un cadeau, répondit Shaé. Mais le meilleur moyen d'en apprendre davantage c'est d'aller voir, non ?

– Euh...

Shaé dévisagea Natan. Il avait les yeux fixés sur l'horizon et son visage reflétait un mélange d'inquiétude et d'indécision.

– Qu'est-ce qui t'arrive, Nat ?

Incapable de formuler son trouble, il ne répondit pas immédiatement.

– Nat ?

Il se tourna vers elle.

– Je ne suis pas certain que nous soyons de taille à lutter contre cette créature.

– Pourquoi dis-tu ça ? Pourquoi maintenant ?

– C'est une évidence, Shaé. Depuis des jours et des jours nous fuyons. Les Helbrumes, les Lycanthropes, les Grœns, ma Famille... Nous fuyons sans comprendre, sans rien maîtriser, sauvant notre vie de justesse à chaque rencontre. Nous sommes deux fétus de paille ballottés par une tempête, et il nous appartiendrait de liquider la cause de cette tempête ? Je crains que ce ne soit largement au-dessus de nos capacités.

– Tu nous sous-estimes. N'est-ce pas toi qui prétendais il y a un instant que les limites humaines ne nous concernaient pas ?

– Je le prétends toujours, et tu en as donné tout à l'heure une preuve éblouissante.

– Alors je ne saisis pas où tu veux en venir.

Il ficha ses yeux dans ceux de Shaé, tentant de lui faire comprendre ce qu'il ne parvenait pas à lui dire…

Il échoua et dut se résoudre à parler :

– Tu as raison, je ne suis plus le même qu'il y a une semaine. Plus du tout le même. Mais ça n'a rien à voir avec un quelconque pouvoir. C'est toi, Shaé. C'est toi qui m'as transformé. Toi qui es entrée dans ma vie, qui t'es installée dans mes pensées, mes rêves, mon âme, et si j'ai peur de quelque chose, c'est uniquement de te perdre.

Shaé avait tressailli.

Touchée au plus profond de son âme.

Elle ferma les yeux pour tenter de contenir le flot d'émotions qui menaçait de l'engloutir, se força à respirer lentement, tandis qu'une certitude se frayait un chemin dans son esprit.

Parler.

Elle devait parler. Ou elle se le reprocherait à jamais.

Elle arracha ses premiers mots à leur gangue de solitude.

– Ta métamorphose n'est rien à côté de la mienne, Natan, murmura-t-elle. J'étais la nuit, tu m'as offert la lumière et, quoi que nous devenions, je t'en serai à jamais reconnaissante.

Elle ouvrit les yeux, les braqua sur Natan.

– Mais nous devons aller jusqu'au bout. Tu sais comme moi que Rafi disait vrai. Si nous ne l'arrêtons pas, l'Autre ravagera le monde.

– Nous pourrions rester ici. Personne ne peut plus pénétrer dans la Maison. Nous…

D'un simple geste, elle le fit taire. Les mots coulaient à présent. Libres.

– Non, Nat. Avant toi, je me fichais de la terre entière. Plus aujourd'hui. Abandonner serait une lâcheté que nous ne nous pardonnerions pas. Elle serait comme un poison qui gâcherait notre existence et détruirait ce que nous sommes si heureux d'avoir découvert. Je viens juste de te trouver, je crains par-dessus tout de te perdre, mais je préfère une vie courte et pleine à une éternité de médiocrité. Même avec toi.

Le cœur de Shaé battait la chamade. L'émotion qu'elle avait jusqu'alors réussi à juguler déferla sur elle. Elle se mit à trembler. Une larme roula sur sa joue. Elle l'essuya du plat de la main.

Natan voulut la serrer contre lui, elle le repoussa.

– Ne me touche pas, Nat.

– Mais…

– Trop de changements. Je n'arrive pas à suivre.

Il fronça les sourcils, tentant désespérément de la comprendre. Il n'y parvint pas. Elle sourit devant ses efforts. Un pâle sourire qui fit ressortir sa tristesse.

– Nous reparlerons de tout ça lorsque cette histoire sera réglée, d'accord ?

Il acquiesça en silence, trop désorienté pour discuter.

Devant eux, la prairie ondoyait doucement.

12

Assis autour d'une lourde table de pierre bleue dans la grande pièce principale de la Maison, ils feuilletèrent l'incunable pendant un long moment sans rien apprendre d'important sur les Familles. Celui qui l'avait rédigé était un érudit qui s'était contenté de rapporter des faits anecdotiques sans se douter de la nature des hommes qu'il évoquait.

Natan, qui traduisait à l'attention de Shaé, était près de renoncer lorsqu'il découvrit enfin un paragraphe intéressant. Il le lut à haute voix :

– « À l'issue de la guerre, si l'enveloppe corporelle de l'Autre fut annihilée, son essence ne put être détruite. Elle fut donc scindée en trois, et chaque partie enfermée dans une bulle-monde. Les Familles conservaient toutefois l'espoir de se débarrasser définitivement de l'Autre. La huitième porte fut donc créée, permettant d'atteindre l'Autre dans sa globalité. Il fut décidé que les Bâtisseurs garderaient les trois portes conduisant aux bulles-mondes, mais que la surveillance de la huitième porte incomberait à tous, pour l'éternité. Elle fut donc placée hors de la Maison et scellée dans un cube de marbre. »

– C'est loin d'être clair, remarqua Shaé.

– En effet, admit Natan. Sauf en ce qui concerne la durée de la surveillance. Les Familles ont visiblement sous-estimé la notion d'éternité.

Il parcourut le reste du livre, sautant les dernières pages pour arriver au plan de la Maison.

– Voilà, fit Natan en désignant un pâle tiret et la légende qui lui correspondait : *Jaalabis janua*, la porte de Jaalab.

Shaé se pencha pour discerner les détails du dessin.

– Et tu as deviné tout de suite qu'il s'agissait de la Maison dans l'Ailleurs ?

– J'ai compris en lisant *Pratum Vorax*, ce qui signifie la prairie dévoreuse. Le reste est affaire de logique. La pièce où nous nous trouvons est ici, la porte de Barthélemy là, et la porte de Jaalab à l'autre bout de la Maison, apparemment au deuxième ou au troisième étage.

Shaé hocha la tête.

– On y va ?

– Sans savoir quel monde nous allons découvrir derrière cette porte ? Tu es sûre ?

– Si ton vieux bouquin ne raconte pas de bêtises, nous arriverons dans la bulle-monde de Jaalab.

– Encore faudrait-il savoir ce qu'est une bulle-monde, rétorqua Natan. Et pour être honnête, je me demande s'il faut espérer que Jaalab s'y soit réfugié ou au contraire espérer qu'il soit ailleurs.

– Selon Rafi, ton oncle Barthélemy l'a blessé et il a été obligé de se terrer chez lui pour se soigner. Il est dans sa bulle-monde, crois-moi, et nous allons le débusquer.

– Super… railla Natan.

Shaé se contenta de hausser les épaules et se leva.

Natan l'imita avec un soupir.

Il avait hésité entre fixer le masamune à sa ceinture et l'attacher dans son dos, avant d'opter pour cette deuxième solution. Il dégainerait certes un peu moins vite, mais il ne risquait pas de voir son sabre s'accrocher ou le gêner à un moment crucial.

– Je laisse l'incunable ici, d'accord ?

– Bonne idée, nous le retrouverons à notre retour.

Natan ne releva pas l'optimisme des paroles de Shaé.

Côte à côte, ils s'enfoncèrent dans la Maison.

Ils marchèrent pendant près d'une demi-heure, empruntèrent une dizaine d'escaliers, traversèrent une multitude de pièces, davantage meublées que celles du rez-de-chaussée, longèrent d'innombrables couloirs, avant d'atteindre enfin la porte de Jaalab.

Natan, qui avait craint de ne pas la reconnaître, comprit qu'il s'était inquiété pour rien. Alors que toutes les ouvertures de la Maison qu'il avait vues étaient faites de bois, la porte de Jaalab était une plaque de métal sombre renforcée de clous d'acier. Elle dégageait une aura inquiétante qui rendait presque ridicule la frêle poignée d'ivoire en son centre.

– On est nuls ! s'exclama Natan en la découvrant. Complètement nuls !

– Que se passe-t-il ?

– On ne peut utiliser une porte que si on l'a empruntée pour entrer dans la Maison, lui rappela-t-il. Comment va-t-on…

Il se tut, écoutant la voix qui avait jailli dans son esprit, véhiculant la mémoire ancestrale des Mnésiques.

« Des mille sept cent sept portes de la Maison dans l'Ailleurs, mille sept cents ont été créées par les Bâtisseurs à partir de notre monde. Elles sont utilisables par quiconque les a franchies au moins une fois pour entrer dans l'Ailleurs.

Les sept autres portes, les portes de fer, ont été ouvertes à partir de la Maison. Elles conduisent dans d'autres lieux, des lieux étranges et dangereux, des lieux si périlleux que les Bâtisseurs ont sagement décidé de restreindre leur utilisation aux membres de leur Famille. Et ils ont juré qu'ils ne les utiliseraient plus… »

Natan poussa un grognement irrité.

– C'est bien le moment de te manifester, lança-t-il à l'intention de la voix invisible. S'il y a d'autres choses que je dois savoir, autant me les révéler maintenant, ça me fera gagner du temps et m'évitera peut-être pas mal d'ennuis !

La mémoire des Mnésiques demeura silencieuse. Avec un soupir de frustration, Natan rapporta à Shaé ce qu'il avait appris.

– Ça coïncide avec ce que nous avons lu dans l'incunable, remarqua-t-elle. Je n'ai toutefois pas le sentiment que Jaalab ait emprunté cette porte…

– D'après Rafi, les trois parties de l'Autre sont à nouveau libres. Si nous voulons trouver une explication logique au retour de Jaalab, c'est du côté de la huitième porte qu'il nous faudra chercher. Mais une chose à la fois, d'accord ?

– Oui. Tu es prêt ?

– Prêt.

Natan tira son sabre et se mit en garde, Shaé posa la main sur la poignée d'ivoire…

Avec un grincement lugubre la porte s'ouvrit.

13

Une odeur horrible.

Infâme mélange de la puanteur du soufre, des remugles de marécages putrides et des relents de carcasses en décomposition.

Puis la lumière.

Douloureuse et pourtant blafarde. Crépusculaire, si le crépuscule en question marquait la fin des hommes et non celle du jour.

Et enfin la végétation.

Humide, d'un vert malsain tirant sur le jaune, étouffante, constituée de plantes grasses aux feuilles terminées par des dards effilés, d'arbres rabougris aux troncs torturés et dont chaque branche était menace et malédiction, de buissons épineux bruissant de mille dangers, de mousse exhalant des vapeurs délétères. Une végétation de fin du monde.

Un sentier étroit serpentait à travers ce paysage lugubre, en direction d'un piton rocheux escarpé dont la silhouette tourmentée se distinguait entre les branches.

Ils levèrent les yeux vers le ciel brumeux puis, dans un ensemble parfait, tournèrent la tête.

Ils se trouvaient au pied d'une falaise peu élevée d'où pendait une profusion de lianes graisseuses garnies d'aiguillons redoutables. La porte qu'ils avaient franchie s'ouvrait dans la pierre noire, avec en son centre la même poignée d'ivoire que sur son autre face.

– Où va-t-on ? s'enquit Natan.

– Suivons le sentier. Il doit conduire quelque part.

– Peut-être à mille kilomètres d'ici. Ou plus si nous jouons de malchance.

– Nous sommes dans une bulle-monde. Une prison. Mes ancêtres l'ont bâtie dans le but unique d'enfermer Jaalab. Les crois-tu assez stupides pour avoir créé une prison si grande ?

Natan la contempla un court instant, stupéfait. Elle s'était exprimée avec une assurance qu'il ne lui avait jamais connue.

– Tu as changé, dit-il.

– Et toi tu te répètes.

– Je parlais de ta manière de t'exprimer.

– J'avais compris. Allez, avance.

Ils se mirent en marche.

La bulle-monde était étrangement silencieuse. Seuls le frémissement des feuilles et le crissement d'insectes invisibles se faisaient entendre, c'est pourquoi, lorsque le hurlement retentit, il prit une ampleur démesurée.

Il s'était élevé à bonne distance des marcheurs, pourtant l'un et l'autre reconnurent la créature qui l'avait poussé. Un Lycanthrope.

– Ta mémoire mnésique t'a bien dit que les Lycanthropes n'étaient vulnérables qu'à l'argent ? demanda Shaé dans un souffle.

– Oui, mais quelques minutes plus tard un ours a démontré le contraire.
– Je ne peux me transformer qu'en panthère.
– Espérons que cela suffira.
Redoublant de prudence, ils reprirent leur chemin.

Comme ils se rapprochaient du piton, la mousse laissa place à un sol pierreux qui rendit la progression difficile. Désormais le sentier montait franchement mais la végétation sur ses bords demeurait aussi dense et hostile. Quasiment marécageuse.

À plusieurs reprises, ils aperçurent la silhouette d'une sorte de cochon aux pattes frêles et difformes et, une fois, un animal massif aux défenses jaunâtres, qui émit un grognement rauque en s'écartant du sentier. Le hurlement du Lycanthrope n'avait plus retenti.

Il n'était pourtant pas loin.

Moitié homme, moitié loup, c'était un tueur rompu à l'art de la chasse. Doté d'un formidable odorat, il repérait sa proie à des kilomètres, la pistait pendant des jours s'il le fallait, puis, le moment venu, s'en approchait sans le moindre bruit.

Sans le moindre bruit, il s'embusquait. Sans le moindre bruit, il bondissait, et lorsqu'elle l'apercevait, il était trop tard.

Bien trop tard.

Shaé l'entendit alors qu'il était encore à plus de vingt mètres.
– Sur ta droite. Un Lycanthrope. Après l'arbre.
Natan hocha la tête.

– D'accord.

Un pas.

Deux.

Cinq.

Le monstre jaillit d'un fourré, mâchoires écumantes ouvertes sur des crocs démesurés, pattes griffues avides de sang.

Le masamune siffla en fendant l'air. Si rapide que nul être vivant n'aurait pu l'éviter.

Sa lame frappa à la gorge.

Mortelle.

Natan s'attendait à un choc terrible dans ses avant-bras. Il sentit l'acier traverser fourrure, chair et os comme s'ils avaient été de papier. Sans ralentir. Avec un simple chuintement.

Le chant du masamune.

« Ce sabre est à toi. Sers-le et il te servira. Respecte-le et il te surprendra. Il ouvrira ta Voie. » Les paroles de maître Kamata résonnèrent dans l'esprit de Natan, lourdes d'un sens nouveau. Il remercia en silence le vieux senseï.

La tête du Lycanthrope avait roulé jusqu'aux pieds de Shaé. Elle la contempla un instant, les traits indéchiffrables.

– Ça coupe, ton truc, constata-t-elle.

Un peu plus loin, la végétation s'éclaircit, le sentier s'élargit jusqu'à devenir une vaste esplanade rocheuse.

Le piton se dressait là.

Escarpé, constitué de vires, de dalles, de surplombs et de gouffres, il culminait à plus de cent mètres de hauteur. Une massive construction de pierre sombre trônait à son sommet.

Shaé et Natan échangèrent un regard. Ils touchaient au but, restait à trouver le moyen de gravir le piton.

Au moment où ils apercevaient les marches taillées dans la roche et le vertigineux escalier qu'elles formaient, un grognement retentit.

Tout proche.

Le premier Grœn apparut, sortant d'une crevasse.

Il fut suivi d'un deuxième puis d'un troisième et, très vite, une horde de Chiens de la Mort les encercla. Une vingtaine de monstres constitués essentiellement de dents et de sauvagerie. Une vingtaine de tueurs qui, dans un même mouvement, avancèrent vers eux.

Shaé se transforma en panthère.

Du coin de l'œil, Natan la vit ramasser sa formidable musculature, tandis que ses oreilles se couchaient sur son crâne et que ses crocs apparaissaient.

Impressionnants.

Il ne put retenir un rictus devant le temps d'arrêt que marquèrent les Grœns. Ce n'étaient que des chiens et les chiens craignent les panthères plus que tout au monde.

Les Grœns se reprirent toutefois très vite.

Natan se mit en garde.

Les Chiens de la Mort passèrent à l'attaque.

14

Le Grœn le plus proche bondit à une distance incroyable, ses mâchoires tendues vers la gorge de Natan.

Le masamune le coupa en deux.

Proprement. Au niveau du thorax. Sans la moindre secousse.

Les deux moitiés sanglantes du Chien de la Mort n'étaient pas retombées au sol que la lame brillante revenait dans un arc de cercle presque invisible pour trancher une patte. Elle remonta pour ouvrir un ventre, s'abattit sur un crâne…

… poursuivit le carnage.

Natan était devenu feu follet.

Son sabre dansait autour de lui, tissant une armure d'acier impénétrable sur laquelle les Chiens de la Mort s'écrasaient, incapables de lui infliger la moindre blessure, incapables de le mettre en danger. Ne serait-ce qu'une seconde.

Un feu follet porteur de mort.

Près de lui, Shaé menait son propre combat.

Sauvage panthère noire, elle étripa d'un revers de patte le Grœn téméraire qui osait s'approcher, puis bondit sur celui qui, inconscient, pensait la prendre à revers. Elle le saisit à la nuque, le secoua avec une telle violence que les vertèbres du monstre se brisèrent comme du verre.

Elle le lâcha, frappa une nouvelle fois, ouvrant une effrayante blessure dans le ventre mal protégé d'un adversaire, lacéra la tête d'un autre, des oreilles au museau, en lui arrachant les yeux au passage…

… continua le massacre.

Les aboiements belliqueux des Grœns, leurs ignobles grognements, devinrent cris de souffrance, gémissements de terreur.

Un vent de panique souffla sur la horde.

Sur ce qui restait de la horde.

Sur le dernier survivant de la horde.

Qui voulut fuir… et tomba, écrasé par la masse noire d'un animal bien plus dangereux que lui. Bref couinement d'agonie. Shaé retrouva son apparence.

Natan essuya soigneusement son sabre sur la fourrure rêche d'un Grœn, puis le rengaina. Autour d'eux, la scène de carnage était effroyable et, une fois retombée la flamme du combat, il sentit poindre un début de nausée. Il se secoua et s'approcha de Shaé.

Elle contemplait les corps mutilés des Grœns et l'ahurissante quantité de sang qui avait coulé sans manifester le moindre émoi. Elle adressa un sourire carnassier à Natan.

– Presque trop facile, tu ne trouves pas ?

– Non, protesta-t-il, je ne trouve pas. Nous aurions pu y laisser la vie, ou au moins être blessés.

– J'ai été blessée.

Elle avait parlé d'une voix paisible comme si elle énonçait un fait anodin.

– Où ? s'inquiéta Natan. C'est grave ?

Elle désigna du menton la manche de son pull, déchiquetée et couverte de sang. Avec fébrilité, Natan lui saisit le bras, remonta la manche… Il n'y avait pas la moindre trace de morsure.

– Guérisseuse, commenta sobrement Shaé. Pendant des années, ce pouvoir a été maintenu en léthargie par la peur que j'avais de la Chose. Je le sens désormais croître en moi et je te garantis qu'il est puissant !

– Puissant et bienvenu, fit Natan. Tu te sens d'attaque pour la suite ?

Shaé tourna son regard vers le piton rocheux et l'escalier aérien qui le gravissait. Là-haut, une créature maléfique les attendait. Une créature qui avait traversé les siècles en ressassant sa rancune et en préparant son retour. Une créature qui ne pensait qu'à les tuer… et qui en avait les moyens.

– Pas de problème. On y va.

Les marches de l'escalier, biscornues et glissantes, dataient d'un passé si lointain qu'elles se fondaient presque entièrement dans la pierre, ne laissant subsister que de simples empreintes où poser le pied était un exploit. Leurs angles arrondis par l'érosion et leur écartement aléatoire rendaient la progression périlleuse, et, très vite, Natan et Shaé sollicitèrent l'intégralité de leurs étonnantes capacités pour avancer.

À mi-hauteur, la pestilence qui avait accompagné leur traversée de la bulle-monde devint si forte qu'ils durent se résoudre à respirer par la bouche pour ne pas défaillir.

Au même instant, Natan, qui avait fiché sa main dans une anfractuosité du rocher pour s'assurer, la retira couverte d'une étrange poussière jaune constituée de cristaux minuscules.

Suspicieux, il la porta à ses narines : du soufre ! Il comprit aussitôt l'origine de l'odeur qui empuantissait l'air : une importante quantité d'acide sulfurique distillait ses vapeurs délétères à proximité. Il fit part de sa découverte à Shaé qui lui répondit par un haussement d'épaules.

Ils reprirent leur ascension, les sens en alerte, prêts à réagir si un danger survenait, mais ils atteignirent sans encombre le sommet du piton.

C'était une plate-forme de granit sombre, circulaire, d'une quarantaine de mètres de diamètre. En son centre se dressait une construction trapue faite de blocs titanesques empilés les uns sur les autres, si parfaitement ajustés que leurs jointures ne formaient que d'imperceptibles rainures. Le toit de l'édifice était constitué d'une unique dalle de schiste noir, épaisse de plus d'un mètre. Sa masse devait s'estimer en centaines de tonnes et Natan se demanda brièvement qui ou quoi avait pu manœuvrer un tel rocher.

Aucune ouverture n'était visible.

Avec précaution, Natan et Shaé contournèrent le mégalithe.

La vue qu'ils découvrirent de l'autre côté leur coupa le souffle. La jungle méphitique qu'ils avaient traversée cédait la place à un chaos de roches aux formes torturées, d'aiguilles pointées vers le ciel comme autant de malédictions, de dalles en équilibre instable au bord de gouffres insondables et, loin au-dessous d'eux, à une étendue d'eau cristalline qui baignait le pied du piton.

Non. Pas de l'eau.

L'eau ne dégage pas de fumerolles.

De l'acide. L'acide que Natan avait senti un peu plus tôt.

Un lac d'acide.

– Ainsi vous vous offrez à moi.

La voix, basse, avait retenti dans leur dos. Ils sursautèrent, se retournèrent d'un seul élan. Pendant une folle poignée de secondes, hypnotisés par le panorama, ils avaient oublié l'endroit où ils se trouvaient.

Jaalab se tenait devant eux, pieds nus, vêtu d'une toge brune, un long bâton de bois sombre à la main.

En le découvrant ainsi, ses yeux entièrement noirs fixés sur eux, sa stature de géant défiant le ciel, Natan eut soudain le sentiment d'être face à un dieu antique. Au même instant, une vague de résignation déferla sur lui.

Défiait-on impunément un dieu ?

Un rire sarcastique, à ses côtés, lui fit l'effet d'un électrochoc.

Le rire de Shaé.

– On n'offre rien du tout, cracha-t-elle. On est ici pour te tuer.

15

Jaalab la toisa avec mépris.

– Tu ris, pauvre larve ! Lamentable prétentieuse ! As-tu conscience qu'il y a trente siècles de cela tes ancêtres étaient plus de mille pour tenter ce que tu prétends réussir seule, et qu'ils ont échoué ?

– Ils n'ont pas échoué, intervint Natan, ils t'ont enfermé dans cette bulle-monde.

– La belle affaire ! La huitième porte est ouverte. Désormais j'entre et je sors de ce lieu comme je l'entends.

– Nous allons t'en enlever la possibilité, cracha Shaé. Définitivement.

Le rire de Jaalab jaillit sans retenue. Haut et fort.

– Je suis la Force de l'Autre ! s'exclama-t-il lorsqu'il se fut enfin calmé. Personne ne peut me tuer. Personne, vous entendez ! Et vous savez pourquoi. Vous savez que je suis… immortel !

– Un immortel qui se cache pour soigner ses blessures ! railla Natan sans se démonter. Un immortel qui se place sous la protection de Grœns ! Un immortel qui a peur de deux misérables larves ! Curieux, non ?

Il avait cherché à le déstabiliser par ses mots. À le blesser dans son amour-propre. Le dédain dont était chargée sa voix trouva sa cible. Toute trace d'humour disparut du visage de Jaalab. Ses mâchoires se contractèrent, son impressionnante musculature se tendit, sa prise sur son bâton s'affermit…

Natan porta la main à la poignée de son sabre, Shaé se prépara à se métamorphoser.

– Je vous laisse une dernière chance, lâcha Jaalab dans un souffle rauque. Quittez cet endroit. Fuyez et vous aurez la vie sauve.

– Il n'en est pas question ! rétorqua Natan. Tu as tué mes parents, tu nous as traqués comme des bêtes, tu as massacré des innocents… Nous sommes ici pour en finir !

– Très bien.

Jaalab leva son bâton, prononça un mot.

Un seul.

Un mot aux consonances barbares.

Incompréhensible.

Un mot court. Agressif.

Un mot de mort.

Une vague de lumière pourpre jaillit du bâton, se déploya en ondulations malsaines jusqu'à envelopper Natan et Shaé.

Un froid intense se répandit dans leur corps, leur respiration se figea, leur cœur lança un bref appel au secours sous la forme d'une décharge de douleur, puis tout s'arrêta.

Le froid reflua, chassé par une onde de chaleur issue de chacune de leurs cellules, l'air entra à nouveau dans leurs poumons, leur cœur se remit à battre. La douleur disparut. Comme si elle n'avait jamais existé.

– Le sang maudit coule bel et bien dans vos veines, murmura Jaalab. Il contrarie les pouvoirs de la Fausse Arcadie, mais ne croyez pas vous en tirer pour autant. Nombreux sont les moyens de se débarrasser de la vermine.

Avec un claquement sec, une lame dentelée apparut à l'extrémité du bâton, longue de quarante centimètres, aussi affûtée qu'un rasoir et munie d'un crochet destiné à éventrer.

Deuxième claquement, une lame jumelle apparut à l'autre bout du bâton.

Le masamune émit un chuintement feutré en sortant du fourreau.

Ils s'observèrent pendant une éternité, puis Jaalab passa à l'attaque. Bien plus rapide qu'un Lycanthrope ou qu'un Grœn. Si rapide que Natan ne para son assaut qu'in extremis, déviant de justesse le bâton et sa lame supérieure avec le dos de son sabre. Il voulut frapper à son tour, n'eut que le temps de se baisser pour éviter un deuxième coup. La lame inférieure passa à un cheveu de son crâne.

Un poing monstrueux le percuta alors au milieu du ventre, lui coupant le souffle et l'envoyant s'écraser contre le sol. Sous le choc, il lâcha son sabre et, à moitié assommé, ne bougea pas lorsque Jaalab leva son bâton.

La lame dentelée brilla sinistrement, fusa vers sa gorge...

… ne l'atteignit pas.

Shaé avait bondi.

Les griffes de ses quatre pattes se fichèrent dans la poitrine de Jaalab, lacérant la toge et ouvrant de profondes blessures d'où jaillirent des fontaines de sang.

Le colosse tituba en arrière. Il se ressaisit juste avant que les mâchoires du fauve se referment sur sa jugulaire. D'une main, il bloqua le cou musculeux de la panthère. Aussi facilement que s'il avait eu affaire à un chaton, il l'arracha de son torse et la tint à bout de bras.

Le temps parut se figer sur la scène inouïe d'un titan maîtrisant une panthère noire d'une seule main tandis qu'étendu à ses pieds, un escrimeur abasourdi tentait de récupérer son sabre, puis Jaalab brandit son bâton.

Il projeta Shaé en l'air et, alors qu'elle vrillait son corps pour retomber sur ses pattes, il frappa.

La lame atteignit la panthère entre les côtes.

L'acier disparut entièrement dans la fourrure sombre pour ressortir de l'autre côté, ruisselant de sang. Sans marquer la moindre hésitation, Jaalab dégagea son arme d'un coup sec, ouvrant un trou affreux dans le flanc de la panthère, dont les contours, soudain, se voilèrent.

Shaé apparut.

Couchée sur le dos, les paumes pressées contre l'effrayante déchirure près de son cœur, elle tentait en vain de contenir le flot de sang qui en jaillissait.

Le même sang qui, devenu écume, perla au coin de sa bouche, coula sur son visage.

Shaé tressaillit, son dos s'arqua, retomba…

Jaalab fit un pas dans sa direction, leva à nouveau son bâton, puis figea son geste pour porter la main aux vingt centimètres d'acier qui sortaient de son ventre. Étonné, il baissa les yeux, contempla un instant la lame du masamune et la plaie béante dans son estomac.

D'un geste fluide, Natan libéra son sabre. Une formidable colère vibrait en lui, à l'unisson d'une certitude absolue : il allait tuer ce monstre !

Lorsque, avec la vivacité d'un serpent, Jaalab pivota dans sa direction, son bâton meurtrier à la main, il était prêt.

16

Jaalab frappa.

Comme il avait toujours frappé.

Avec l'efficacité mortelle du tueur né.

Il était la Force de l'Autre et, comble de chance, ce corps récupéré près de la huitième porte lui convenait à merveille. Vigoureux, massif, endurant. Un jouet fabuleux que la puissance de l'Autre avait transformé en arme parfaite.

La lame de Mésopée fusa. Si rapide que personne n'aurait pu l'éviter.

Natan l'évita.

Au même instant, Jaalab sentit l'acier de ce sabre diabolique tracer une ligne brûlante dans son abdomen, à l'endroit précis qui venait d'être touché et qui avait à peine eu le temps de cicatriser.

Il poussa un grognement de colère, fit tournoyer son bâton, frappa.

Encore et encore.

Une secousse vrilla ses mains lorsque le bois incassable de la Fausse Arcadie rencontra l'acier du masamune, puis une douleur terrible envahit son ventre lorsque le garçon, passant sous sa garde, trancha dans sa chair.

L'esquisse d'un doute s'insinua dans l'esprit de Jaalab. Il recula d'un pas.

Natan le suivit.

Son âme entière s'était nichée dans le masamune. Il ne savait plus qui, du sabre ou de lui, avait été forgé par le mythique maître d'armes, comme il ignorait qui désormais, du sabre ou de lui, contrôlait l'autre.

Jaalab porta un nouveau coup. Terrifiant.

Natan leva sa lame pour contrer le bâton, ne tentant pas de l'arrêter mais, au contraire, le laissant glisser de côté. Inoffensif. Il feignit de viser le ventre, comme Jaalab s'y attendait, et frappa au visage, ouvrant une joue jusqu'à l'os.

La plaie se referma presque aussitôt, mais Natan n'y accorda aucune importance. Il frappa derechef. Au ventre. Il eut le plaisir de sentir le masamune entrer dans des chairs déjà ouvertes. Il n'affrontait pas un dieu, il affrontait un monstre.

Et il allait le tuer.

À aucun moment il ne jeta le moindre coup d'œil en direction de Shaé. Son combat exigeait une totale attention et, au-delà de cette concentration, il savait qu'elle était vivante. Cette certitude pulsait en lui. Absolue.

Jaalab fit un deuxième pas en arrière. Puis un troisième.

Pour la première fois depuis une éternité, il avait mal. Son abdomen n'était plus qu'une plaie sanguinolente que ses pouvoirs ne parvenaient plus à cicatriser. Il perdait son sang, sa vigueur, ses espoirs…

Il comprit que l'irrémédiable allait survenir.

Il tenta le tout pour le tout.

Alors qu'ils approchaient du rebord du plateau, il abaissa sa garde. Le masamune se faufila dans l'ouverture et s'enfonça dans son ventre.

Souffrance.

Atroce.

Inacceptable.

Jaalab lâcha son bâton, referma ses bras sur le sabre…

… et sur Natan.

Celui-ci vit le piège une fraction de seconde trop tard. N'envisageant pas que son adversaire abandonne son arme, pressé de porter le coup de grâce, il s'était approché.

Trop.

L'étreinte de Jaalab lui coupa le souffle. Ses côtes émirent un craquement tandis que ses forces le fuyaient. Il hoqueta puis l'air cessa d'arriver à ses poumons et il commença à défaillir. Il eut beau bander ses muscles, l'étau ne se desserra pas d'un cran. Au contraire. Malgré lui, ses doigts commencèrent à s'ouvrir.

S'il lâchait son sabre, il était mort.

Il était déjà presque mort.

Réunissant ses dernières forces, il appuya de tout son poids sur la poignée du masamune. Le sabre s'enfonça jusqu'à la garde dans les entrailles de Jaalab. Sous l'effet de la douleur, celui-ci poussa un grognement bestial. Recula. Son talon heurta une pierre et il vacilla au bord du gouffre.

Natan, dans un sursaut de lucidité, se surprit à espérer. Si Jaalab basculait dans le vide, il basculerait certes avec lui, mais le monde serait à jamais débarrassé de cette créature maléfique. Shaé serait sauve.

Jaalab retrouva toutefois son équilibre, et l'ultime espoir de Natan s'envola. Il n'avait plus la force de soulever le masamune, la blessure qu'il avait infligée à son ennemi avait beau être profonde, elle n'était pas mortelle. Jaalab y survivrait.

Et lui allait mourir.

Le titan raffermit son étreinte.

Natan sentit un filet de sang couler de son nez, sa vision s'obscurcit.

Avec un feulement sauvage, une panthère noire déchaînée atterrit sur le torse de Jaalab. En deux coups de pattes dévastateurs, elle réduisit son visage en lambeaux, tandis que ses mâchoires se refermaient sur une épaule qui se rompit avec un bruit hideux.

L'étau qui compressait Natan se desserra. Avec l'oxygène, la vie revint en lui. Puis la vue. Juste à temps pour voir Jaalab basculer dans le vide, Shaé, sous sa forme de panthère, accrochée à lui.

Incapable de contrôler son corps, il se sentit tomber avec eux.

À cet instant précis, Shaé se transforma.

Redevint humaine.

Sans se préoccuper des coups que Jaalab faisait pleuvoir sur son dos et son visage, elle tendit la jambe, frappant Natan en plein milieu de la poitrine. De toutes ses forces.

– Toi tu restes là !

Elle avait hurlé. Sous l'impact, Natan partit en arrière, se reçut sur les fesses, tandis que son sabre tintait sur le rocher, juste à côté de lui.

Il se jeta en avant.

Regarda le précipice.

Deux silhouettes enlacées chutaient. De plus en plus vite. De plus en plus loin. De plus en plus bas.

Droit vers le lac d'acide.

Jaalab, gesticulant, essayait de se débarrasser de Shaé, panthère, qui mettait toute son énergie à poursuivre l'œuvre de destruction entamée par le masamune, fouissant son ventre de ses griffes et de ses crocs.

La surface du lac se rapprochait.

Un hurlement s'éleva. Désespéré. Natan mit un temps à comprendre que c'était lui qui criait.

Il continua à crier.

Jusqu'à ce que sa voix se casse.

Cent mètres plus bas, la forme minuscule de la panthère vacilla.

Disparut.

Jaalab, moribond, plongea seul dans l'acide. Son corps se désarticula en touchant la surface puis le liquide toxique entama ses ravages, attaquant la chair, dissolvant les os, réduisant muscles et tendons en vapeurs empoisonnées.

Lorsque le bouillonnement létal cessa, de la Force de l'Autre il ne restait qu'une brume grisâtre que la brise dispersa.

Loin au-dessus du lac, un aigle à l'envergure démesurée et au plumage noir comme la nuit se laissait doucement porter par le vent.

UNE PORTE

1

– Je croyais que tu ne pouvais te transformer qu'en panthère…

– Je le croyais aussi.

– Et ?

– Je me trompais.

Alors qu'ils atteignaient le rez-de-chaussée, Shaé entraîna Natan jusqu'à la porte de Barthélemy devant laquelle elle se planta. Refusant de répondre à ses questions, elle tendit ses paumes.

– Que fais-tu ? insista-t-il, soudain inquiet.

– Je regarde.

Dès que sa peau entra en contact avec la porte, celle-ci devint translucide à ses yeux. Shaé avait beau s'attendre à ce qu'elle découvrit, elle sursauta. Et, lorsqu'elle décrivit la scène à Natan, sa voix tremblait :

– Des miliciens. Deux, trois, non, cinq, sept… Des armes lourdes… Du matériel de détection… Ils savent que nous sommes à l'intérieur, Nat, ils attendent que nous tentions une sortie. Nous n'avons aucune chance de passer. Strictement aucune.

Elle se tourna vers lui.

– Inutile que nous marchions jusqu'à la porte de Valenciennes. Nous trouverons le même comité d'accueil dans la cave de la bibliothèque.

– Et les autres portes ?

– Je suis Bâtisseuse, pas magicienne. La règle qui veut que les portes ne soient accessibles qu'à ceux qui les ont utilisées pour pénétrer dans la Maison est valable pour moi aussi.

– Les portes de fer ?

– Avec la carte de l'incunable et en prenant le temps de chercher, je suppose que nous pourrions les découvrir. Quant à les franchir… N'oublie pas que nos ancêtres ont jugé préférable de les condamner. Je te laisse imaginer ce qu'il y a de l'autre côté.

– La huitième porte ? Celle qu'a évoquée Jaalab, celle qui lui a permis de se libérer.

– Cette porte-là ne se situe pas dans la Maison. C'est écrit dans l'incunable !

– Donc nous sommes coincés ici, conclut Natan.

Ils revinrent à pas lents vers la pièce principale.

De temps en temps, Shaé posait la main sur le bois d'une des portes qui leur étaient interdites, et racontait à Natan ce qu'elle voyait de l'autre côté : ruines de constructions antiques, forêts sauvages, rues animées, paysages désertiques, souterrains humides, et, une fois, intérieur bruyant d'une banque en période d'affluence. Le plus souvent cependant, qu'il fasse nuit noire derrière la porte ou que celle-ci ait été ensevelie au cours des siècles sous des tonnes de terre et de pierres, elle ne distinguait rien.

Ils ignoraient comment quitter la Maison.

2

Ils étaient installés dans un confortable canapé qu'ils avaient tiré sur la terrasse. Devant eux, la prairie, la *Pratum Vorax*, étendait jusqu'à l'horizon ses paisibles ondulations. Si trompeuses.

Natan était sorti en piteux état de son affrontement avec Jaalab.

Ses yeux lui faisaient encore mal, tout comme ses épaules et le haut de sa colonne vertébrale. La peau de son torse avait viré au bleu puis au jaune, et le moindre mouvement un peu brusque lui tirait des grimaces.

Pourtant, la douleur était son moindre souci. Il aurait dû s'inquiéter que la Maison dans l'Ailleurs soit devenue une prison, mais il ne parvenait pas à se concentrer sur ce problème.

Il pensait à Shaé.

Si proche et pourtant si lointaine.

Elle s'étira avec nonchalance, passa la main dans ses longs cheveux noirs, les remonta sur sa tête, les laissa retomber devant son visage, s'étira à nouveau, faisant jouer ses muscles fins et ciselés, puis bâilla… sourit.

« Une panthère, songea Natan en la contemplant émerveillé, on dirait une panthère ! »

– J'ai faim, grogna-t-elle comme pour lui donner raison.

– La Maison a beau être immense, je crains qu'il n'y ait pas de garde-manger, répondit Natan. Ou s'il y en a un, la nourriture est périmée depuis des siècles, ce qui revient au même.

– Je pourrais te dévorer, toi !

– Chiche !

Shaé se recula, soudain sur la défensive.

Natan crut d'abord qu'elle plaisantait, faillit sourire puis comprit qu'elle était sérieuse. Elle ne supportait pas son contact. Ne le supporterait peut-être jamais. Écho de cette répulsion, une douleur presque physique lui tordit l'âme.

Il ne doutait pourtant pas de ce qu'elle lui avait avoué : « Je viens juste de te trouver, je crains par-dessus tout de te perdre », et il pensait chacun des mots qu'il lui avait soufflés avant de partir combattre Jaalab. Elle avait transformé sa vie, lui avait donné un sens, il n'envisageait pas de la poursuivre sans elle.

Pourquoi dressait-elle une barrière entre eux ?

Au même instant, il sut que s'il acceptait cette barrière, tout était fichu. Leur relation. Leur avenir. Leur vie.

– Shaé... je... je ne comprends pas... balbutia-t-il. J'ignore pourquoi... Non, c'est nul ! Shaé... Je... je ne peux plus exister sans toi.

– Pourquoi ?

Question chuchotée.

– Parce que...

Il se tut, effrayé par l'univers inconnu qui s'étendait devant lui. Incapable d'avancer. Incapable de se livrer davantage. Elle lui sourit tristement.

– Trois mots difficiles à prononcer, n'est-ce pas ?

– Shaé, tu…

– Attends. J'avais six ans la dernière fois qu'on me les a dits, Nat. Six ans. Trois mots ont disparu dans un accident de voiture et un gouffre s'est creusé en moi. Terrifiant de solitude. Trois mots auraient suffi à le combler, mais personne ne les a plus jamais prononcés et la Chose s'est installée. Tu sais quoi, Nat ?

Elle poursuivit sans attendre :

– Quand j'aurai un enfant, je les lui dirai tous les jours, ces trois mots ! Je les lui chanterai, je les lui réciterai comme un poème infini, un antidote contre les tourments de la vie, une déclaration de bonheur. Je me lèverai la nuit pour les lui murmurer, bercer son sommeil et chasser ses cauchemars. Et quand il sera loin, Nat, quand il sera loin, je les lancerai vers le ciel pour que le vent les lui apporte. Parce que, sans ces trois mots, nous ne sommes rien.

Elle se tut, si belle que Natan eut l'impression qu'une porte s'ouvrait. Une porte chargée de plus de pouvoirs que toutes celles des Bâtisseurs réunis. Une porte que trois mots magiques lui permettraient d'emprunter. Ces trois mots qui pulsaient dans chacune des fibres de son être, jusqu'au tréfonds de son âme. Ces trois mots qui existaient en lui depuis le commencement des temps. Depuis la première fois qu'il l'avait vue.

Trois mots.

Il les lui chuchota à l'oreille.

Shaé tressaillit.

Contre toute attente, elle avait mal. Loin de la paix qu'elle aurait dû lui apporter, la déclaration de Natan avait déchaîné un chaos de sentiments contradictoires qui agitaient son esprit et malmenaient son ventre. Elle aurait souhaité se rouler en boule. Disparaître. Oublier.

Elle n'en avait pas le droit. Natan avait parcouru tant de chemin vers elle, c'était à son tour d'avancer.

Elle tendit une main hésitante vers sa joue.

La retira brusquement.

Natan la contemplait, immobile et silencieux. Le souffle de Shaé devint rauque. Elle fit une nouvelle tentative. Qui échoua.

La douleur dans son ventre devint lancinante.

– Nat, je…

Une soif terrifiante la bâillonna.

La soif.

Elle comprit qu'elle perdait la partie. Elle n'avait jamais eu la moindre chance de l'emporter. Solitude serait son nom à jamais.

À moins que…

3

La nuit est tombée sur la *Pratum Vorax*.

La lune teinte d'argent ses douces ondulations et nimbe la Maison dans l'Ailleurs d'un halo étrange.

Un rayon indiscret se faufile dans la grande salle, glisse le long d'une armoire, éclaire le canapé qui a repris sa place.

Avec la nuit, un froid perçant s'est installé. Malgré son pull de laine, Natan frissonne. Sans se réveiller tout à fait, il se blottit contre Shaé et soupire d'aise en sentant sa douce tiédeur l'envahir. Réchauffé, il retrouve le fil de ses rêves et la profondeur du sommeil.

Elle a ouvert un œil dès qu'il a frémi.

Elle attend que sa respiration soit redevenue régulière, en savourant son souffle chaud dans son cou et les battements rassurants de son cœur tout près du sien. Puis elle se rendort pour le rejoindre. Complètement.

Souffle chaud.

Fourrure noire.

Silence.

L'AUTRE

Une trilogie de Pierre Bottero

Tome 1
LE SOUFFLE DE LA HYÈNE

Tome 2
LE MAÎTRE DES TEMPÊTES

Tome 3
LA HUITIÈME PORTE

L'auteur

Pierre Bottero est né en 1964. Il habite en Provence avec sa femme et ses deux filles et, pendant longtemps, il a exercé le métier d'instituteur. Grand amateur de littérature fantastique, convaincu du pouvoir de l'Imagination et des Mots, il a toujours rêvé d'univers différents, de dragons et de magie.

« Enfant, je rêvais d'étourdissantes aventures fourmillantes de dangers mais je n'arrivais pas à trouver la porte d'entrée vers un monde parallèle ! J'ai fini par me convaincre qu'elle n'existait pas. J'ai grandi, vieilli, et je me suis contenté d'un monde classique… jusqu'au jour où j'ai commencé à écrire des romans. Un parfum d'aventure s'est alors glissé dans ma vie. De drôles de couleurs, d'étonnantes créatures, des villes étranges…

J'avais trouvé la porte. »

Pierre nous a quittés un soir de novembre 2009. Il nous laisse les clés de ses portes et de ses mondes.

L'illustrateur

Didier Garguilo est né en 1974 à l'île de la Réunion. Lorsque sa main rencontre un crayon pour la première fois, il découvre une chose merveilleuse : quand la main file droit, elle trace une ligne droite comme un horizon, et lorsque la main tourne, la ligne s'arrondit comme un chat qu'on caresse ! Il tombe amoureux des lignes et n'a cessé d'en tracer depuis, inlassablement.

À dix-neuf ans, il quitte son île pour entamer des études de dessin à l'école Émile-Cohl, à Lyon. Puis il s'installe à Angoulême. Il a travaillé dans le dessin animé avant de se consacrer avec bonheur à l'illustration, et se lance dans la bande dessinée. Il vit en Loire-Atlantique.

CPI

Achevé d'imprimer en France en mars 2010
par CPI Hérissey à Évreux (Eure).
Dépôt légal : avril 2010
N° d'édition : 5151 - 04
N° d'impression : 113692